Confucius

A l'aube de l'humanisme chinois

Confucius
A l'aube de l'humanisme chinois

Musée national des Arts asiatiques - Guimet

Paris. 28 Octobre 2003 - 29 Février 2004

CaixaForum, Fundació "la Caixa"

Barcelone. 25 Mai - 29 Août 2004

Guimet musée national des ARTS ASIATIQUES

Réunion des Musées Nationaux

Fundació "la Caixa"

Exposition organisée dans le cadre des Années croisées France-Chine par la Réunion des musées nationaux et le musée national des Arts asiatiques-Guimet, avec le concours exceptionnel du Bureau d'État du Patrimoine, République populaire de Chine, et le soutien du Crédit Agricole Indosuez et de la Fondation Electricité de France.

中国文化年
**L'ANNEE
DE LA CHINE**
2003/2004

CRÉDIT AGRICOLE INDOSUEZ

LA FONDATION EDF Electricité de France

Commissariat

Jean-François Jarrige, de l'Institut
Directeur du musée national des Arts asiatiques-Guimet

Jean-Paul Desroches
Conservateur général
Musée national des Arts asiatiques-Guimet

Catherine Delacour
Conservateur
Musée national des Arts asiatiques-Guimet

Auteurs des textes
Anne Cheng
Catherine Delacour
Jean-Paul Desroches
Danielle Elisseeff
Hans van Ess
Michael Leibold

Scénographie
Pascal Payeur, le Scénoscope

Travaux réalisés avec la collaboration des ateliers du musée

Coordination du projet à Paris
Département des expositions de la Réunion des musées nationaux
Agnès Takahashi
Isabelle Mancarella, pour le mouvement des œuvres

Coordination du projet à Barcelone
Département des Arts plastiques, Fundació "la Caixa"
Imma Casas
Lourdes Peracaula

© 2003 Éditions de la Réunion des musées nationaux
49, rue Étienne Marcel, 75001 Paris

Fundació "la Caixa"
621-629, avenida Diagonal, 08028 Barcelone

Remerciements

Que toutes les personnes qui ont permis par leur généreux concours la réalisation de cette exposition trouvent ici l'expression de notre gratitude, et tout particulièrement :

La Fondation **Li Ka Shing** pour le don qu'elle a consenti au musée Guimet à l'occasion de cette exposition d'un ensemble historique unique de bronzes *shang*

M. et Mme Wahl-Rostagni

Nos remerciements s'adressent également aux responsables des collections suivantes :

Allemagne

Berlin
Staatliche Museen zu Berlin Preussischer Kulturbesitz
Museen Dalhem, Ethnologisches Museum

Munich
Staatliches Museum für Völkerkunde
Universitätsbibliothek

France

Paris
Bibliothèque nationale de France
Musée national des Arts asiatiques-Guimet

Saint-Denis
Musée d'Art et d'Histoire

Versailles
Musée national des châteaux de Versailles et de Trianon

République populaire de Chine

Jinan
Institut d'Archéologie du Shandong
Musée provincial du Shandong

Qufu
Comité municipal pour l'administration du Patrimoine culturel

Tengzhou
Musée municipal

Suisse

Zurich
Museum Rietberg

CONFUCIUS, GRAND PENSEUR et pédagogue de l'Antiquité chinoise au Vᵉ siècle avant notre ère a créé la première école privée de notre pays. Il inaugure en Chine la grande oeuvre que sont l'éducation et la formation de l'homme. Aussi est-il vénéré par la postérité comme « Maître parfait de la sublimité ».

Le confucianisme dont il est la source, constitue une suite de critères éthiques régissant les relations humaines et sociales ainsi que celles des nations et des États ; ces critères, élaborés à partir des cellules sociales les plus élémentaires se ramènent à des principes tels que « la bienveillance », « les rites », « le juste milieu », « l'harmonie », « la douceur », « la bonté », « la bienséance », « l'économie » et la « civilité ». La pensée confucianiste a exercé jusqu'à nos jours une influence considérable aussi bien sur l'histoire que sur la culture chinoise. Cette influence s'est manifestée dans tous les secteurs de la vie sociale pour aujourd'hui s'étendre au-delà de nos frontières. C'est la raison pour laquelle Confucius est depuis toujours respecté et même vénéré en Chine ainsi qu'à l'étranger.

À l'occasion de l'ouverture de l'Année de la Chine en France, nous sommes heureux de collaborer avec le peuple français dans le cadre de cette rétrospective autour de Confucius. Parmi les objets présentés on compte des oeuvres en provenance du Shandong, la province natale de Confucius ainsi que d'autres provenant principalement des collections du musée Guimet. Cette manifestation constitue donc un événement exemplaire illustrant la coopération et le dialogue entre nos deux pays. Elle ne manquera pas sans doute d'avoir des retombées favorables à l'égard de la compréhension entre nos deux peuples tout en renforçant nos liens traditionnels d'amitié.

Je profite de cette occasion pour exprimer mes remerciements sincères au personnel du musée Guimet ainsi qu'à toutes les personnes qui ont contribué à cette réalisation. J'ai la ferme conviction que cette exposition permettra au public français ainsi qu'aux visiteurs étrangers amis de la culture chinoise, de mieux connaître la vie de nos compatriotes et leurs valeurs profondément enracinées dans une tradition plurimillénaire.

Sun Jiazheng
Ministre de la Culture de la République populaire de Chine

Il y a dans l'histoire de tous les peuples des moments privilégiés qui voient naître des hommes dont la vie se déroule sans influence notable sur leur époque mais dont les paroles, recueillies par ceux qui les ont aimés et admirés, forment peu à peu une source inépuisable où viennent s'abreuver des générations et des générations d'autres hommes.

Notre culture occidentale qui puise ses racines au cœur des civilisations du Proche-Orient, de Rome et de la Grèce n'est guère familiarisée avec les traditions culturelles de l'Orient Extrême. Bien sûr, Confucius se confond pour elle avec la Chine, mais au-delà de ce fait, que savons-nous de celui qui fut le premier maître à penser de l'Empire du Milieu et devint, bien malgré lui, la pierre angulaire de l'édifice impérial et la mesure de tous les comportements sociaux ? Bien peu de choses en vérité.

Sait-on qu'il avait placé l'homme, être selon lui éminemment perfectible, au centre de ses préoccupations et l'incessante quête du savoir, au centre de toute action, de toute entreprise ; que c'est à lui enfin que l'on doit la conception d'un avancement au mérite acquis par la réussite aux examens ?

C'est à une rencontre avec cette figure mi-historique, mi-légendaire, dans les aspects les plus divers de l'influence qu'elle exerça sur l'ensemble de la civilisation chinoise au cours des âges que nous convie le musée des Arts asiatiques-Guimet, qui a choisi d'inaugurer par cet hommage à Confucius les manifestations qui marquent dans notre pays le début des Années croisées France-Chine.

A cette occasion, je souhaite remercier chaleureusement les autorités culturelles et administratives chinoises ainsi que celles du Shandong, province natale de Confucius, pour la compréhension et générosité dont elles ont fait preuve en acceptant de faire venir jusqu'en France les plus émouvants des trésors confucéens conservés à Qufu, Jinan et Tengzhou. Ma gratitude va également aux nombreux prêteurs qui tant en France que dans le reste de l'Europe se sont associés à cette manifestation.

Je suis sûr que cette exposition, conçue avec ferveur, sera un grand succès pour nos deux pays et qu'elle saura parler au cœur de ceux qui viendront la voir, permettant d'approfondir un dialogue qui s'était déjà ébauché au xviiie siècle, en France et en Allemagne, autour de la personnalité du maître.

Jean-Jacques Aillagon
Ministre de la Culture et de la Communication

Un point sur la carte au coeur de la province du Shandong. C'est là, voilà soixante-dix-sept générations, qu'une pensée, une philosophie, une morale ont vu le jour. Qufu. Il y a un quart de siècle, Qufu était encore un peu plus qu'un hameau, bien moins qu'un gros village. On y arrivait par le train, la gare était perdue, loin de tout. Un autobus bringuebalant traversait sur plusieurs kilomètres des océans de blé. A droite, à gauche, une maison parfois, qui semblait surgir d'un monde très ancien. Puis une forêt, non, un bois. On nous dira plus tard que c'est au hasard de ce bois qu' ont été enterrés, depuis que les Kong furent, tous les Kong qui ont vécu sur cette terre, c'est à dire les fils, les petits-fils et les milliers d'arrière-petits-fils des premiers arrière-petits-fils de celui qui fut Confucius. Des stèles éparses sous les arbres, dans l'herbe haute. Une haute statue parfois, des animaux de pierre et des stèles encore.

On passait ensuite un « pailou », un portique triomphal : on approchait de Qufu. Des hommes, des femmes tiraient des charges énormes. Puis c'était le village enfin, les portes. Au centre de Qufu, le temple élevé à la gloire de maître Kong, pavillon après pavillon, les stèles à figure noircie d'avoir été encore et encore estampées. Des arbres très haut et des oiseaux là haut, qui bruissaient. Mais une manière de silence. On avançait lentement parmi les salles avec colonnades de bois, les pavillons égrenés un à un dans ce parc sacré. Du haut d'un mur, on pouvait voir la maison aux dizaines de cours qui avait été celle de tous les Kong. On disait alors que le dernier membre de la famille avait fui à Taiwan. Des chambres, un hôtel, avaient été aménagés là, dans une aile reculée. La nuit, on pouvait encore se promener à loisir parmi les terrasses de pierre des temples. Nous étions seuls, ou presque. Des oiseaux, encore, de grands battements d'ailes bruissaient. Tout était parti de là ….

Un voyage à Qufu était une manière de rite initiatique. Mais on revient encore à Qufu. À une petite heure du Taishan, la Montagne Sacrée qu'un long escalier de pierre escalade jusqu'à des sommets qui naissent dans les brumes, Qufu accueille à présent des millions de pèlerins, des visiteurs. Le soir, les rues sont animées de vendeurs de tout, de rien, fritures, soupes, légumes multicolores. Des jeunes filles passent, des enfants, souriants. Des touristes aussi. Des étrangers, naturellement, mais des Chinois surtout. Des millions de visiteurs chinois qui veulent s'approcher de Qufu. Car Qufu est resté Qufu : le temple, le bois sacré. Un musée admirable. Et c'est parce que Qufu est demeuré Qufu, les ombres qui le hantent, son musée, ses archives, ses immenses collections confucéennes, que celui que l'on exalte ici semble soudain si proche. Soixante-dix-sept générations : un simple frisson à la surface de cette eau qui est notre histoire. Grâces soient rendues à tous ceux, en Chine, à Qufu et ailleurs − comme à Paris, qui ont permis que Confucius se dégage des limbes du respect trop parfait dont on l'entoure en France, faute d'en savoir davantage, pour apparaître ce qu'il est, un sage entre les sages qui naquit à Qufu.

Jean-Pierre Angremy, de l'Académie française
Président du Comité des Années croisées France-Chine

À L'OCCASION DES ANNÉES CROISÉES France-Chine 2003-2004, et avec le soutien de son comité d'organisation, le musée Guimet a souhaité, à l'initiative de Jean-Paul Desroches, consacrer sa principale exposition à une des figures les plus célèbres de l'humanité : maître Kong, connu en Occident sous le nom de Confucius. Il pouvait à première vue paraître difficile de présenter une exposition dédiée à un homme qui a marqué l'histoire de la Chine par son enseignement et ses nombreux disciples. Mais Jean-Paul Desroches et Catherine Delacour, commissaires de cette manifestation, ont cherché, grâce à un ensemble exceptionnel de prêts, à présenter les divers aspects de la pensée de Confucius en les inscrivant dans le contexte de traditions riches en réalisations artistiques qui, pour la période précédant la vie du Sage, l'ont influencé et sur lesquelles, par la suite, son empreinte s'est exercée. Nous sommes heureux aussi qu'ils aient pu s'associer pour la rédaction du catalogue à d'éminents spécialistes que nous remercions pour leur contribution. Ainsi espérons-nous que cette exposition permettra de mieux comprendre l'œuvre et surtout l'influence d'un personnage dont l'Occident connaît surtout le nom.

Le musée Guimet est très reconnaissant aux autorités chinoises et aux conservateurs des musées de Chine, tout particulièrement de l'Institut d'archéologie et du musée provincial du Shandong, pour la qualité et la générosité de leur collaboration et leur excellent accueil sur place lors de la préparation de l'exposition. Notre souhait à l'occasion de ces manifestations en France est de tout faire pour que le musée Guimet puisse être un véritable acteur du dialogue culturel entre l'Europe et la grande civilisation chinoise, grâce à l'aide et à la confiance des autorités et des savants chinois. Nous exprimons notre gratitude à tous les prêteurs et à la Fondation Li Ka Shing pour un don exceptionnel de bronzes rituels chinois fait à l'occasion de cette exposition.

Nous remercions la Réunion des musées nationaux et son administratrice, Madame Sophie Aurand, d'avoir permis, avec le très généreux concours de nos deux mécènes, Crédit Agricole Indosuez et la Fondation Electricité de France, l'organisation de cette manifestation, ainsi que les équipes du musée Guimet qui ont contribué à sa réalisation matérielle.

Jean-François Jarrige, membre de l'Institut
Directeur du musée national des Arts asiatiques-Guimet

Sommaire

Shandong. Qufu, temple de Confucius, pont Bishui (cat. 127)

Jean-Paul Desroches

Prologue

Il ne parla qu'en sage, et jamais en prophète;
cependant on le crut, et même en son pays.

Voltaire

Confucius ou l'homme comme éternité

LA DÉCOUVERTE DE LA CHINE égale en importance la découverte de l'Amérique. Cependant, moins soudaine que cette dernière, elle ne s'installe dans les esprits européens que progressivement… Au commencement, il y eut une Chine fantastique, un pays de cocagne, puis les missionnaires aidant, un empire de la raison gouverné par des mandarins éclairés. Il faut attendre le début du xxe siècle pour que l'on parle d'un monde en soi, alors même que l'État chinois entre comme acteur sur la scène internationale. Aujourd'hui, au moment où certains annoncent un xxie siècle chinois, n'y a-t-il pas lieu de s'interroger sur la trajectoire singulière d'une civilisation qui a su fédérer tant d'individus ?

Au milieu de cette multitude, surgit une figure tout à la fois énigmatique et emblématique, celle d'un maître à penser qui, à lui seul, transcende les successions dynastiques : maître Kong 孔, Kongfuzi 孔夫子, celui que nous nommons Confucius (551-479) en Occident. Ce guetteur de l'humaine condition depuis vingt-cinq siècles ne mérite-t-il pas d'être au cœur du panthéon de ces années croisées France-Chine ?

Sage plutôt que philosophe, Confucius apparaît en un temps capital de l'histoire. Son siècle (vie-ve siècle) est également celui de Laozi 老子 (570-490 ?) et de Bouddha (536-480 ?). Comme eux, il milite pour un monde meilleur, mais à leur différence, il ne prétendra jamais comprendre l'incompréhensible. Il voit le jour dans l'État de Lu[1] 魯, situé dans l'actuel Shandong 山東, la plus orientale des provinces chinoises. À l'origine, il s'agissait d'une île rocheuse qui, peu à peu, se trouvera rattachée au continent du fait des alluvions charriées par le Huanghe 黃河, le fleuve Jaune. Son pays natal s'étend donc entre fleuve et cimes, une terre bénie aux riches limons fluviaux fertilisés par les eaux abondantes venues de la montagne. Pour ces raisons, depuis la nuit des temps, en ces lieux, le fleuve Jaune et le mont Tai 泰山 sont l'objet de vénération. Le mont Tai, en particulier, en tant que sommet de l'Orient, reçoit encore aujourd'hui un culte fervent. Source de lumière et de vie, c'est de là que, chaque matin, le soleil entame sa course lente au-dessus de l'immensité chinoise[2].

---

1. L'État de Lu était faible, mais ses princes tiraient leur gloire de leur parenté avec les rois de la dynastie des Zhou. Son fondateur passait pour être l'un des grands sages de l'Antiquité. Lu se considérait comme le gardien des traditions anciennes et ses habitants étaient réputés pour leur science des rites.

2. Le mont Tai, une des cinq montagnes sacrées de Chine, préside à l'Orient du haut de ses 1545 mètres. Demeure des dieux, la tradition veut qu'il ait été fréquenté depuis l'Antiquité. Confucius s'y serait rendu en pèlerinage. On montre également une stèle qui témoignerait de son ascension par le premier empereur. Beaucoup de souverains vont gravir ses milliers de marches au cours de l'histoire pour lui rendre hommage, lais-

Le jeune Kong Qiu 孔丘 va grandir dans ce cadre unique. Il vit dans une époque troublée, en proie à de profonds bouleversements accompagnés de violences et d'exactions de toutes sortes. Nourrissant certaines ambitions professionnelles, à plusieurs reprises au cours de sa carrière politique, il tente de convaincre les gouvernants de restaurer les règles et les usages anciens, sans toutefois y parvenir. En dépit de cet échec apparent, il persiste à vouloir remédier à la crise en enseignant. La place qu'il accorde à l'Antiquité dans l'éducation est significative des liens qui le rattachent au milieu traditionaliste des scribes et des annalistes. Cette logique porte à croire qu'il fut en partie l'auteur des *Chunqiu* 春秋, les *Printemps et Automnes*[3], une chronique historique fondée sur les archives de l'État de Lu. « L'école confucéenne », écrit Anne Cheng, « dut débuter comme un petit groupe d'amis qui débattent ensemble des questions du temps, la plupart d'entre eux étant activement engagés dans la vie publique de leur pays[4]. » On retrouve en effet toute cette génération de disciples au service des cours princières avoisinantes : dans la principauté de Wei 衛, Zilu 子路 et Zigao 子高, dans la principauté de Qi 齊, Ziwo 子我 et à Lu, à Wei et à Qi, le disciple le plus fortuné, Zigong 子貢, ... Une fois le Maître disparu, il est possible qu'ils aient essayé de répandre ses théories, fondant des écoles et formant des élèves. Sima Qian 司馬遷 (145-87) signale que « soixante-douze disciples avaient pu bénéficier d'un enseignement complet et trois mille étudiants étaient venus entendre ses instructions[5] ». Le centre principal reste Qufu 曲阜, autour de la famille Kong et du tombeau du fondateur. Il semble que Zigong ait bâti une première maison près de la sépulture[6]. Cette initiative correspond assez bien à la personnalité de ce solide gaillard doté de réels moyens financiers. Bientôt, c'est une communauté d'une centaine de foyers qui constitue le village de Kongli 孔里. De son côté, la famille contribue à fixer la tradition en gardant pieusement les vêtements officiels, le bonnet de cérémonie, le luth et le char du défunt dans la salle où jadis il enseignait, convertie désormais en temple funéraire et honorée à chaque anniversaire de sa naissance, le 28 septembre[7], par la présence du duc de Lu venant conduire le sacrifice. Quatre siècles plus tard, Sima Qian visite ces lieux et rapporte son émotion à la vue de ces reliques. Entre-temps, disciples et descendants de Confucius paraissent s'être mis d'accord pour rassembler un choix de textes et les publier sous le titre de *Lunyu* 論語, *Les Entretiens*[8]. Cet ouvrage, le plus ancien et sans doute le plus authentique, résulte néanmoins d'une compilation effectuée après la disparition du Maître. Les auteurs ont su conserver au propos toute la saveur de la langue parlée. Sur les quatre cent quatre-vingt-douze fragments mis bout à bout, quatre cent quarante-quatre ne sont en fait que des réponses du philosophe à son auditoire. Si quelques passages demeu-

---

sant de nombreuses inscriptions. Aujourd'hui on s'y rend principalement pour assister au lever du soleil. Cf. Édouard Chavannes, *Le T'ai Chan, Essai de monographie d'un culte chinois*, Annales du Musée Guimet, Paris, 1910, t. XXI.

3. Que Confucius ait ou non participé à la rédaction des chroniques de l'État de Lu ne peut être prouvé. Plus important est de signaler qu'elles relatent des événements d'une période comprise entre 722 et 479 avant notre ère, année précisément de la mort du Maître. Elles

recueillent également les coutumes féodales ainsi que les chansons populaires.

4. Anne Cheng, *Les Entretiens de Confucius*, Paris, Le Seuil, 1981, p. 13.

5. Le récit détaillé de la vie de Confucius se trouve dans les Mémoires historiques de Sima Qian au chap. LXVII. Édouard Chavannes, *Les Mémoires historiques de Se-ma ts'ien, traduits et annotés*, Paris, Adrien Maisonneuve, 1967, 6 vol.

6. L'histoire sainte du confucianisme veut que, à la mort du Maître, ses disciples prirent son

deuil comme celui d'un père, pour trois ans, et que Zigong resta six années près de la tombe.

7. Le 28 septembre 551 avant notre ère correspond au 27 août du calendrier lunaire.

8. D'après le *Lunyu*, Confucius n'eut jamais l'intention d'écrire lui-même une seule ligne pour les générations à venir. Écrire des ouvrages non officiels à titre privé était une notion qui n'existait pas à l'époque de Confucius. Il fut le premier maître privé de la Chine mais non son premier écrivain.

En 1993, une découverte à Guodian 郭店 dans la province du

Hubei dans une sépulture datant de la fin du IVe siècle avant notre ère allait remettre dans l'actualité le *Lunyu*. Ces fragments tenus écrits sur bambou représentent aujourd'hui le plus ancien écho de la parole du Maître.

rent hermétiques, en dépit des deux cents commentaires rédigés en deux mille ans, la majeure partie du texte, au contraire, montre un être bien vivant. Là où l'on s'attendrait à rencontrer un théoricien austère, on trouve tout simplement un homme en chair et en os. Il se pourrait bien qu'une part de l'attrait de l'ouvrage réside précisément dans cette approche candide : l'homme cherche, hésite, doute, se trompe parfois, l'avoue et se corrige. Il n'utilise jamais un jargon d'école, émaillé de sophismes ou d'arguties, mais transmet des vérités pratiques illustrées par des anecdotes et des images exemplaires. Il sait aussi se réjouir en écoutant de la musique, mais également pleurer longuement la mort de Yan Hui 顏回, le plus humble, le plus jeune et le plus aimé de ses disciples.

L'enseignement de Confucius démontre la foi qu'il porte en l'homme, pensant qu'à travers l'étude, il est capable de progresser et de se perfectionner, hissant « l'homme de savoir » à la hauteur du prince[9]. Ainsi, d'une éducation qui entendait être avant tout fidèle à la tradition, il dégage des idées neuves. Les légistes, au IIIᵉ siècle avant notre ère, ne s'y tromperont pas et condamneront ses écrits à la destruction totale en 213, sur ordre du premier empereur[10]. Ce serait chose faite si un descendant n'était parvenu à les dissimuler dans le fameux mur de Lu 魯壁 que l'on montre encore aujourd'hui dans le quartier Queli 闕里 à Qufu.

Le problème le plus important, auquel se heurte toute évocation contemporaine de Confucius et du confucianisme, reste lié à l'authenticité des documents proposés aux visiteurs. Comme pour le Christ, nous devons ce que nous savons aux suiveurs, directs ou non. Comment évaluer la part du réel de celle de la recomposition échafaudée postérieurement, et notamment à partir des Han (206 avant-220 après notre ère), à des fins politiques[11] ? Sans réponse certaine, nous n'avons d'autre solution que de nous replier sur la présentation du contexte de l'époque et cette fois, en nous fondant sur des œuvres incontestables. Pour ce faire, en introduction, nous avons entrouvert les portes du culte des ancêtres, un chapitre essentiel dans la doctrine confucéenne. Vingt bronzes archaïques, en provenance souvent des familles nobles de la province natale de Confucius, ont été regroupés. Il convenait ensuite de dépasser cet inventaire après décès, pour entrer au cœur de cette société patricienne *han* qui portera l'éducateur de la principauté de Lu au rang de maître à penser de tout l'empire. Les bas-reliefs funéraires du Shandong excellent dans la représentation des scènes d'un quotidien *han* très ritualisé, six d'entre eux, parmi les plus significatifs, ont été réunis. Quant à Confucius lui-même et à son enseignement proprement dit, abstraction faite de quelques vestiges tardifs associés à son hagiographie, nous nous trouvions dans une impasse complète[12]. Comment ne pas décevoir l'attente légitime d'un public qui souhaite rencontrer le Maître et son œuvre de plain-pied à l'aide d'éléments tangibles ! Il ne restait

9. L'idée de perfectionnement est parfaitement illustrée par cette sentence censée rapporter l'évolution de Confucius : « À quinze ans mon cœur s'appliquait à l'étude. À trente ans je pouvais me tenir debout. À quarante je fus libre de doutes. À cinquante je connus le décret du Ciel. À soixante je fus obéissant à ce décret. À soixante-dix je pus suivre les désirs de mon esprit sans transgresser les limites de ce qui est juste. » De cette citation certains ont pu déduire une carrière ainsi composée : les trente premières années de sa vie seraient consacrées à l'étude, les vingt suivantes à l'enseignement, puis, de cinquante à soixante-huit ans, à diverses tentatives d'insertion dans la vie politique, et les dernières années, à la mise en ordre des archives historiques ainsi qu'à l'enseignement.

10. La proscription fut particulièrement sévère à l'encontre de tout ce qui émanait de l'école de Lu. Toutefois, après la condamnation des ouvrages au feu, on découvrit bientôt que les confucéens connaissaient par cœur les « Classiques » et pouvaient les transmettre de bouche à oreille. Ainsi, Li Si 李斯, le Premier ministre, les fit arrêter en masse et quatre cent soixante d'entre eux furent enterrés vifs.

11. L'empereur Wu des Han 漢武帝 (141-87) choisit, dès 135, de s'appuyer sur le confucianisme et les lettrés confucéens entrèrent en masse dans la fonction publique. Cependant, c'est à Dong Zhongshu 董仲舒 (175-105) que la doctrine doit son succès par l'amalgame qu'il fit de différents courants.

plus qu'une seule possibilité, celle de faire appel à un créateur, calligraphe de surcroît, pour y parvenir. Le peintre Ye Xin a accepté le défi, non sans une certaine émotion, guidé dans son programme par l'historienne Danielle Elisseeff et la philosophe Anne Cheng. L'homme et sa pensée ainsi restitués grâce au pinceau d'un artiste, il parut plus aisé de matérialiser les « Six arts », clé de la formation du *junzi* 君子, cet « homme de bien ». Le tir à l'arc, la conduite de char, les rites, la musique, les mathématiques et la calligraphie revêtent des formes concrètes grâce à des prêts insignes, publics et privés. Au confucianisme *han* succède celui des Sui (581-618) relayé ensuite par celui des Tang (618-907). Il faut reconnaître cependant que, du IIIe au Xe siècle, le taoïsme et plus encore le bouddhisme dominent l'avant-scène chinoise. La brusque irruption des peuples nomades, suivie de l'appauvrissement et de la reféodalisation de la société, ainsi que de l'émergence d'un sentiment religieux profond, inconnu auparavant, relèguent le confucianisme au second plan. Il ne subsiste qu'une emprise administrative, créée par l'empereur Yangdi 隨煬帝 des Sui en 606. Il met en place le *keju* 科舉 ou système des examens impériaux qui va perdurer jusqu'en 1906 et a permis à la Chine, dans ce laps de temps, de recruter dix millions de lettrés, c'est-à-dire la quasi-totalité de son intelligentsia[13]. Le fonctionnaire, qu'il soit civil ou militaire, fera l'objet de portraits assez conventionnels. Sculptées sous les Sui, modelées sous les Tang, peintes sous les Song (960-1278) et les Yuan (1279-1368), ces images sont complétées, pour les Ming (1368-1644) et les Qing (1644-1911), d'une panoplie de tenues et de coiffures d'apparat enrichies de bijoux manifestant le renforcement de l'autorité de l'État confucéen. Il est vrai que, depuis les Song, on assiste à un retour du confucianisme sous une forme rénovée : le néoconfucianisme. La société a évolué et les besoins en personnel administratif pour la gestion de l'empire se sont accrus. Une pléiade de penseurs, à partir de l'An Mil, commence à s'interroger sur l'intégration de l'homme dans l'univers. Il est certain qu'avec l'expérience bouddhique, il n'était plus possible de limiter le champ d'investigation de la pensée au seul domaine de l'État. On cherche des réponses aussi bien du côté de la métaphysique que de celui des sciences exactes. Les *Sishu* 四書 *Quatre Livres* confucéens, *Les Entretiens*, le *Mengzi* 孟子, le *Zhongyong* 中庸 *L'Invariable Milieu* et le *Daxue* 大學 *La Grande Étude*, reviennent d'actualité. Le plus grand théoricien du néoconfucianisme, Zhu Xi 朱熹 (1130-1200), parvient à établir de brillantes synthèses qui mêlent les trois philosophies religieuses du temps : bouddhisme, taoïsme et confucianisme, au profit de cette dernière. Sous l'influence de ces mystiques, la leçon de choses que constituait l'enseignement de Confucius évolue en recherche vers l'absolu. Bien qu'à partir du XVe siècle ses principes aient tendance à se figer dans une orthodoxie de plus en plus stérilisante, ils demeureront ceux de la Chine impériale jusqu'à sa disparition en 1911[14]. Des temples dédiés à la mémoire de Confucius commencent à prospérer dans tout le pays.

12. De cette légende dorée, des estampages et des imprimés ont été réunis. Ils ont pour origine ces *Kongzi shengji tu* 孔子聖蹟圖 « Vestiges sacrés de Confucius », série d'images accompagnées de textes brefs dont la version la plus ancienne remonte au XIVe siècle. La plus complète, en cent cinq tableaux gravés sur pierre, date de 1592 et est conservée dans la dernière salle du temple de Confucius à Qufu. Quant aux écrits, cinq fragments des « Classiques » gravés sur pierre entre 175 et 183 de notre ère sont présentés (cat. 28). À l'origine, quarante-six stèles avaient été gravées pour le collège impérial de Luoyang sur le modèle des calligraphies de Cai Yong 蔡邕 (133-192). Il s'agissait du *Yijing* 易經, du *Shijing* 詩經, du *Shangshu* 尚書, du *Yili* 儀禮, du *Chunqiu Gongyangzhuan* 春秋公羊傳 et du *Lunyu* 論語. Toutefois, ces stèles furent gravement endommagées au moment du sac de Luoyang en 190. Sont également présentés les « Quatre Livres », *Daxue* 大學, *Zhongyong* 中庸, *Lunyu* 論語 et *Mengzi* 孟子 avec les commentaires de Zhu Xi 朱熹 (1130-1200) dans une édition d'époque Yuan (1279-1368) exhumée de la tombe du prince Zhu Tan 朱檀 de Lu en 1971 (cat. 29).

13. Dans la première cour du temple de Confucius à Pékin, on peut voir encore aujourd'hui cent quatre-vingt-dix-huit stèles où sont inscrits les noms des cinquante et un mille six cent vingt-quatre *jinshi* 進士, les heureux candidats qui étaient parvenus à réussir l'examen de doctorat. Seules trois stèles datent des Yuan, soixante-huit remontent aux Ming, cent dix-huit sont *qing*.

Le plus ancien, le *Kongmiao* 孔廟 à Qufu, demeure le plus prestigieux et les empereurs s'y rendent régulièrement. Large d'environ cent cinquante mètres dans le sens est-ouest, long de six cent cinquante mètres dans le sens nord-sud, il forme un complexe architectural de quatre-cent-soixante bâtiments autour de neuf cours. Ses stèles, logées dans treize pavillons, consignent les principaux événements dont ses soixante et une extensions et restaurations. Sous la dernière dynastie, des musiciens et des danseurs salariés étaient responsables du culte. On comptait également des jardiniers, des gardiens, des artificiers, des pleureuses, etc., soit au total vingt-deux familles qui étaient en charge des rites et des fêtes. On y menait un train de vie comparable à celui de la cour à Pékin. À chacune de leurs visites, les empereurs gratifiaient le temple et ses dépendances de riches offrandes. L'empereur Kangxi 康熙 (1662-1722) fit graver une stèle pesant plus de soixante-cinq tonnes, Qianlong 乾隆 (1736-1795), son petit-fils, offrit un ensemble de dix vases sacrificiels datant des dynasties Shang et Zhou, présenté dans le cadre de cette exposition, qu'il préleva dans les collections impériales[15]. À côté des lieux de culte, il existe également d'autres ensembles importants dans la mouvance de l'univers confucéen. Mentionnons le *Guozijian* 國子監, le « Collège impérial » de Pékin, fondé en 1306, où le nouvel empereur, au début de son règne, venait prononcer un discours censé orienter l'esprit de son mandat. À la façon d'une université, ce lieu détient les écrits de référence. Ainsi, les « Classiques » ont été gravés sur cent quatre-vingt-neuf stèles en 1794, ce qui représente quelque six-cent-trente-mille caractères[16]. Un pareil labeur, destiné au bon gouvernement de l'État, ne pouvait que susciter l'admiration des missionnaires en poste en Chine, qui s'empressèrent de le faire savoir à tout l'Occident. La considération dans laquelle étaient tenues les valeurs de l'esprit dans cet empire confucéen, allait piquer la curiosité de l'élite européenne. Certains, comme Leibniz, chercheront à en approfondir les raisons ; d'autres, comme Voltaire, s'en serviront plutôt comme d'une arme. Quoiqu'il en soit, le sage, aujourd'hui, ne se contente pas de rayonner au-delà des frontières de la Chine, il reste présent par sa pensée mais également par ses descendants. Kong Demao 孔德懋, l'actuelle représentante de la soixante-dix-septième génération, appartient ainsi au plus vieil arbre généalogique du monde. Confucius lui-même pouvait-il imaginer semblable éternité !

---

14. Il convient néanmoins de signaler, en dépit de la prééminence de l'école de Zhu Xi 朱熹, l'existence d'un courant indépendant qui s'oppose à cette pensée unique autour de Wang Shouren 王守仁 (1472-1528) et qui propose non seulement un projet philosophique mais aussi politique et social.

15. Les dix bronzes furent offerts en 1771 (cat. 96-105).

16. Il s'agit des *Shisanjing* 十三經, les « Treize Livres » gravés d'après la calligraphie de Jiang Heng 蔣衡 (1672-1742), réalisée entre 1726 et 1737.

La mère de Confucius priant pour avoir un fils

Catherine Delacour

Les siècles obscurs

Introduction

La période historique au sein de laquelle s'inscrit la vie de Confucius, du moins si l'on s'en tient aux dates qui lui sont conventionnellement attribuées, 551-479 avant notre ère, est celle de la première partie de l'époque des Zhou de l'Est, dite aussi période des Printemps et Automnes. Si chacun s'accorde sur la date du début de cette ère qui s'ouvre sur la défaite des Zhou de l'Ouest en 771, la date finale, elle, dépend de l'importance historique ou archéologique relative que les historiens accordent à tel ou tel événement :

Soit 481, qui met fin à la recension des événements dans la chronique de l'État de Lu, dont le titre, *Chunqiu*, 春秋, *Printemps et Automnes*, a donné son nom à la période ; soit 453, date de la partition territoriale du grand État de Jin en trois royaumes ; soit enfin 403, qui voit cette partition entérinée par l'autorité royale. Mais, en tout état de cause, c'est bien au cours des VIe et Ve siècles avant notre ère que l'histoire en Chine prend une direction nouvelle.

Si l'on doit en croire ceux qui, bien après la mort du Maître, rapporteront ses enseignements et tisseront la trame qui servira de source à sa biographie rédigée au IIe siècle avant notre ère par Sima Qian, il aurait pris une large part à la mise en forme des premiers textes historiques de la Chine et tiré de leur enseignement les très nombreuses références aux comportements modèles de ces rois sages des temps passés que l'on trouve cités à maintes reprises dans le recueil de ses dires, *Les Entretiens* ou *Lunyu*, 論語. Bien que sujette à force interrogations et suspicions aux yeux des savants, cette histoire virtuelle et les modèles qu'elle offre s'inscrivent pourtant pleinement au sein de l'histoire événementielle telle que nous pouvons la connaître aujourd'hui et c'est probablement de leurs correspondances mutuelles ou connivences secrètes que surgit avec une force peu commune la figure énigmatique et charismatique du premier maître à penser de la Chine.

Les souverains d'autrefois en qui le Maître voit des modèles de sagesse et de bon gouvernement

Les sources historiques

Les ouvrages dont il est fréquemment question dans *Les Entretiens* font précisément partie d'un petit groupe de textes parmi les plus anciens qui nous soient parvenus. Ils traitent pour l'essentiel à la fois des mythes, des rois et des rites et datent pour leurs parties les moins remaniées des environs de 800 avant notre ère. Ils sont au nombre de trois et seront plus tard inclus dans la liste des « Six Classiques » mis au programme des examens destinés à la sélection des futurs fonctionnaires. Il s'agit du *Livre des documents*, le *Shujing*, 書經, du *Livre des odes*, *Shijing*, 詩經 et du *Livre des mutations*, *Yijing*, 易經 [1]. La tradition voudrait que le Maître ait largement contribué à l'élaboration de ces ouvrages mais à ce jour rien ne permet de le confirmer. En revanche, on admet qu'il fut peut-être l'auteur d'une bonne partie des *Printemps et Automnes*, ayant vraisemblablement pu avoir accès aux archives de l'État de Lu et à ses Annales, étant entendu que toute principauté se respectant tenait de telles archives. La plupart de ces chroniques ont disparu à l'exception donc de celles de Lu et aussi de celles de Qin qui nous sont connues par l'intermédiaire du chapitre dédié à cette principauté par Sima Qian, le grand historien.

Yao et Shun souverains du temps d'avant le temps, Yu le Grand, fondateur de la première dynastie chinoise historique et Cheng Tang fondateur de la seconde, la dynastie Shang

Parmi les trois sages souverains du temps des mythes, les deux premiers, Yao et Shun, figurent comme les parangons des vertus de modestie et de désintéressement. Ils sont prêts en effet à abandonner le pouvoir au profit de qui leur paraît supérieur. Le troisième, Yu, inaugure la trilogie des fondateurs des premières dynasties historiques, Xia, 夏, 2205-1767 avant notre ère[2], Shang, 商, 1766-1122 et Zhou, 周, 1121-222. Yu, le premier donc, assécha les eaux et donna la terre à cultiver aux hommes. Fondateur de la dynastie Xia, il mit en place le système des successions héréditaires (*Lunyu*, III, 18-19 et 21). Cette mémorable suite d'événements « historiques » est ainsi rapportée par Sima Qian[3] :

« C'était au temps de l'empereur Yao ; [Les eaux énormes s'élevèrent jusqu'au ciel [...] à cause de cela le peuple de la plaine fut dans l'affliction].

[...] Alors l'empereur Yao chercha un autre homme et trouva Choen (Shun). Shun fut élevé aux emplois : il exerça par procuration le gouvernement de Fils du Ciel ; [...]

[...] Yao mourut. L'empereur Shun interrogea les chefs des quatre montagnes, disant : "Y a-t-il quelqu'un qui soit capable de mener à bien et d'illustrer les entreprises de Yao. Je le mettrai en charge." Tous dirent : "Le comte Yu est intendant des Travaux publics il peut mener à bien et illustrer l'œuvre glorieuse de Yao." Shun dit : "Ah ! c'est bien." Il donna donc cet ordre à Yu : "Vous réglerez les eaux et les terres, ne songez qu'à faire tous vos efforts..."

[...] Alors Yu s'acquitta du mandat de l'empereur [...].

Ki, fils de Yu était sage ; les sentiments de l'empire lui étaient attachés [...]. Alors Ki prit donc la dignité de Fils du Ciel [...]. L'empereur Ki, souverain de Hia (Xia), était le fils de Yu ; [...]. »

Cheng Tang, enfin, fondateur de la dynastie Shang, «... sut choisir des hommes droits et les placer au-dessus des hommes pernicieux afin que ces derniers s'en trouvent redressés », *Lunyu*, XII, 22.

---

1. Le *Livre des documents* est nommément cité dans le *Lunyu*, II, 21 ; VII, 17 ; XIV, 43. *Le Livre des odes*, *Lunyu*, I, 15 ; II, 2 ; III, 8 et 20 ; VII, 17 ; VIII, 3 ; IX, 14 ; XVI,13 ; XVII, 9, 10 et 18. *Le Livre des mutations*, *Lunyu*, VII, 16.

On pourra également se reporter au texte de Hans Van Ess, p. 109.

2. La dynastie Xia, longtemps considérée comme mythique, pourrait, selon les derniers travaux des chercheurs et archéologues, avoir bel et bien existé. Voir par exemple les nouvelles

tables chronologiques fondées sur des datations C14 proposées pour la séquence historique Xia-Shang-Zhou, *Huaxia kaogu*, 2001-3.

3. Chavannes, *Les Mémoires historiques de Se-Ma Ts'ien*, Paris, 1895, chap. II : Deuxièmes

Annales principales, Les Hia, p. 98-99 et 162-163.

La chute des Shang et l'avènement du roi Wu, le premier souverain des Zhou de l'Ouest

Où il est question de la sagesse du duc Dan de Zhou, frère cadet du roi Wu et conseiller de son fils, l'héritier présomptif,
De l'élaboration de la théorie du mandat céleste,
Du respect des Zhou de l'Ouest pour le culte des ancêtres de la dynastie déchue.
Des deux frères du roi Wu placés à la tête des principautés de Lu (où plus tard naquit Confucius) et Wei (où il séjourna de nombreuses années).

Le dernier des grands dynastes que révère encore le maître est le roi Wu, premier de la dynastie des Zhou de l'Ouest. Il avait pourtant failli à la règle des successions héréditaires puisque non seulement il n'avait aucun lien génétique avec la royauté Shang mais avait pris le pouvoir en renversant la dynastie en 1045 avant notre ère, incarnée alors en la personne de Zouwang, dit aussi l'empereur Di Xin. Seulement voilà, Zouwang était un triste sire dont les innombrables exactions, la cruauté et la débauche ont laissé dans l'histoire une trace indélébile[4]. Le renverser fut donc un acte qui permit à la vertu de régner à nouveau, à la voie droite d'être une fois encore pratiquée. Un arrangement avec le Ciel, la théorie du mandat céleste, *tianming*, 天命, élaborée à cette époque, vint à point nommé délivrer de tout scrupule celui qui s'en trouvait ainsi investi puisque tout manquement avéré à la voie droite de la part d'un souverain le privait *de facto* de ce mandat aussitôt confié à un autre par le ciel.

Sur la scène de théâtre où l'on joua l'acte premier de la naissance de la dynastie des Zhou de l'Ouest, le personnage du duc Dan de Zhou, qui a tant excité l'admiration de Confucius (*Lunyu*, VII, 5 et XX, 1), mérite qu'on lui accorde ici quelques lignes[5]. Lorsque mourut le roi Wu des Zhou en 1043, son plus jeune frère, le duc Dan de Zhou, s'imposa pendant sept années comme régent, estimant que l'héritier présomptif, le futur roi Cheng (1035-1006), n'avait pas encore atteint l'âge de régner. Mal interprétée, cette attitude fut à l'origine de troubles qui allèrent jusqu'à la rébellion ouverte. Le duc, cependant, en compagnie du jeune roi, parvint à la mettre en échec. Peu après, une controverse naquit sur la capacité d'un souverain à recevoir ou non le décret céleste. Le duc, pragmatique, avoua ne guère se fier au ciel et préférer qu'un roi sage se repose sur de bons ministres bien inspirés. Ses deux interlocuteurs, le futur roi Cheng et son demi-frère, eux, étaient d'avis que le roi est un être unique et seul susceptible de recevoir le décret céleste. Le duc alors se retira de la discussion, puis doucement de la politique. Le roi Cheng investi en 1035, pour autant, ne cessa de solliciter et suivre les bons conseils que le duc lui prodigua jusqu'à sa mort.

Mais le duc de Zhou est aussi pour Confucius celui qui, en plaçant son fils à la tête de l'État de Lu (*Lunyu*, XVIII, 10), a créé l'illustre lignée de la principauté. De plus, la présence à la tête de l'État de Wei d'un autre fils du duc en grande amitié avec le frère nommé à Lu fit pour lui de ces deux pays, deux alliés unis par des liens bien plus forts que les simples accords politiques passés temporairement et souvent transgressés entre deux États voisins (*Lunyu*, XIII, 7). Enfin, le roi Wu mit à la tête de l'État de Song un des fils du souverain Shang vaincu afin que lui et ses descendants y perpétuent les sacrifices aux ancêtres de cette dynastie qui le seront en effet, sans interruption, jusqu'en 282 avant notre ère[6].

Ce sont donc là les sages auxquels se réfère Confucius, témoins d'une époque dont il mesure en la comparant à la sienne combien elle est différente. Que s'est-il donc passé ?

---

4. Ce personnage est le sujet d'un roman-fleuve de plus de mille pages écrit à l'époque Ming, *L'Investiture des dieux*.

5. Sans cet engouement attribué à tort ou à raison au Maître, il est vraisemblable que le duc de Zhou serait tombé dans l'oubli. Voir aussi Loewe et Shaughnessy, *The Cambridge History of Ancient China, From the Origins of Civilization to 221 BC*, Cambridge, 1999, p. 314-317.

6. Cet épisode est décrit au chapitre XXXVIII des *Mémoires historiques*, trad. Chavannes, 1901, Huitième maison héréditaire, le vicomte de Wei (prince de) Song, p. 217-218.

La chute des Zhou de l'Ouest et ses effets délétères

Fuite de la cour vers la capitale de l'Est où elle s'établit sous le nom de dynastie des Zhou de l'Est (771-481)

Comme les Shang hélas, les Zhou finirent par se rendre indignes du mandat du ciel. L'affaiblissement s'est fait sentir dès le règne du roi Yi, 懿王, (899-873) et en dépit d'une sorte de restauration sous Xuan, 宣 (827-782), le dernier des Zhou de l'Ouest, le roi You, 幽 (781-771) fut tué lors de l'assaut conjoint des Barbares Quanrong, 犬戎 de l'Ouest et du seigneur de l'État de Shen.

L'évacuation de la cour et son installation dans la nouvelle capitale de l'Est (l'actuelle Luoyang) furent organisées sous la protection de Jin, 晉 et Qin, 秦, deux États qui seront bientôt appelés à jouer un rôle politique majeur. L'héritier présomptif de You fut placé par eux sur le trône du Fils du Ciel et prit le nom de Ping, 平王, Ping Wang, (770-720). Dès lors, c'est de cette capitale que régneront pendant encore cinq cents ans les souverains auxquels les historiens ont donné le nom de Zhou de l'Est.

Tout semble donc être rentré dans l'ordre, mais en réalité la fracture est profonde. Certes, le système des hégémonies (par lequel s'entend la prééminence politique et militaire d'une principauté sur toutes les autres et qui est conférée en principe par le Fils du Ciel) qui va bientôt être mis en place, porte en lui les germes de l'unification qui interviendra cinq siècles plus tard. Mais, dans la pratique et dans l'immédiat, en se substituant à l'autorité royale défaillante, il met involontairement en place tous les ingrédients susceptibles de nourrir les jalousies et la soif de pouvoir des différents États membres de l'hégémonie.

Le déclin de l'autorité royale

Un des soucis majeurs de Confucius. Illustration en trois tableautins

De fait, c'est bien le déclin de l'autorité royale qui fait à ce moment-là basculer l'histoire. Le phénomène est insidieux mais très présent et c'est peut-être à Confucius ou bien à ceux qui l'ont fait parler que revient le mérite d'avoir en quelque sorte diagnostiqué la vraie nature du mal pernicieux dont souffre à cette époque l'ensemble des principautés. Et ce, par le seul biais d'un enseignement comportemental fondé sur l'exercice de la vertu. Un certain nombre d'anecdotes qui ont été rapportées dans les chroniques ou par Sima Qian, perdues au milieu de l'énumération de faits parfois insignifiants, sont néanmoins suffisamment significatives de cette déconsidération de la personne royale pour qu'elles vaillent d'être évoquées ici.

Le jeu du roi You des Zhou de l'Ouest qui permit aux Barbares d'envahir la capitale sans être inquiétés en 771 avant notre ère

Cette anecdote raconte que le roi You avait répudié son épouse pour une autre d'un caractère plutôt revêche. Or, un jour que l'alarme qui annonçait l'irruption imminente des Barbares avait été déclenchée par erreur, provoquant un branle-bas de combat, la mine déconfite des soldats avertis de l'absence de danger provoqua chez elle un rire inextinguible. Le roi, enchanté de l'effet inattendu de cet incident sur la jeune femme, commanda que l'on réitérât plusieurs fois la chose de sorte que le jour où l'alerte fut véritable personne ne vint. S'ensuivit bien sûr le désastre que l'on sait.

Caprice du roi Xuan des Zhou de l'Est semant discorde et désordre dans la succession du duc de Lu, 796 avant notre ère

En 817, le roi Xuan, 宣 (827-782) se prit d'amitié pour le plus jeune fils du duc de Lu et décida d'en faire l'héritier présomptif de la principauté ce qui était contraire à la règle. Conseillers, proches, ministres, tous lui déconseillèrent d'agir ainsi mais il n'en tint aucun compte et lorsque mourut le duc de Lu il mit d'office son favori à la tête de la principauté. Alors, aidé par les gens de Lu, le neveu de l'héritier présomptif écarté du pouvoir assassina l'usurpateur en 807 et prit sa place. Mais en 796, le roi Xuan fit assassiner le nouveau duc et imposa à Lu le plus jeune frère de son favori défunt. L'auteur du *Shiji* qui rapporte ces incidents conclut : « À partir de cette époque les seigneurs violèrent souvent les ordres royaux[7] » (en raison, bien sûr, des infractions aux règles commises par le Fils du Ciel).

Où l'on voit un hégémon ne pas hésiter à prendre les armes contre le Fils du Ciel et à le blesser, 707 avant notre ère

Le dernier exemple a trait à un événement survenu un peu plus tard. Il s'agit de la principauté de Zheng qui a des liens de parenté très proches avec la maison royale et dont plusieurs membres ont exercé de hautes fonctions dans son administration. Située dans une terre inhospitalière, la principauté a développé un esprit pionnier, a défendu avec une rare ardeur la cour de Zhou contre les Barbares Rong et n'eut de cesse d'obtenir la soumission des États rétifs à l'autorité royale. Mais la violence des attaques portées unilatéralement et sans sommation, une fois encore, est contraire à la règle et met le souverain mal à l'aise. Par mesure de précaution, il choisit de nommer son ministre hors de la maison de Zheng. Ce qui provoqua la fureur du seigneur de Zheng, 鄭莊, Zheng Zhuang. Il exigea réparation et obtint de recevoir en échange de son fils l'héritier présomptif, otage à la cour, un des fils du souverain, ce qui ne s'était jamais vu.

En 707, après que le nouveau roi de Zhou, Huan Wang, 桓王, eut choisi son ministre une fois de plus et pour les mêmes raisons hors de Zheng, le duc, furieux, mit à sac les champs du domaine royal. Cette nouvelle offense déclencha un conflit armé. Le Fils du Ciel, soutenu par les principautés de Cai, Chen et Wei, livra bataille à Xuge, 繻葛 en territoire zheng. Les alliés du souverain, cependant, ne mirent que peu d'ardeur à l'ouvrage et la bataille prit fin dans une débandade générale au cours de laquelle le roi Zhou reçut une blessure à l'épaule infligée par un proche de Zheng Zhuang[8].

Le système des hégémonies, un remède pire que le mal ?

Contexte politique et géographique. L'ébauche : principauté de Zheng, la structuration : principauté de Qi, fin du VIIIᵉ-milieu du VIIᵉ siècle avant notre ère

Le récit de la blessure infligée au Fils du Ciel relatée sans plus d'emphase par les chroniques entérine pourtant le premier et sanglant désaveu de l'autorité royale et du statut du roi en tant qu'être unique mandaté par le ciel. Il permit également à Zheng d'obtenir la priorité politique absolue devant tous les autres États, ce qui n'alla pas sans de nombreuses réactions hostiles. Une guerre commença donc jusqu'à ce que finalement chacun se trouve dans l'obligation de céder. En 701, à la mort du duc de Zheng, ses deux fils se disputèrent âprement la succession, initiant une guerre civile qui dura vingt ans et à laquelle prirent part d'autres États, dont celui de Song. Le principe de l'hégémonie qui n'avait pas encore été clairement défini est alors recueilli par le duc Huan de Qi. Celui-ci mit en place une structure qui se maintiendra tant bien que mal jusqu'en 453 et dont la durée correspond en gros à cette première période des Zhou de l'Est que l'on appelle les Printemps et Automnes.

Au commencement de la dynastie des Zhou de l'Ouest, le domaine Shang avait été scindé en deux parties. L'une devint le royaume de Song, 宋, gouverné par un descendant de la dynastie Shang, l'autre le royaume de Wei, 衛,

7. Chavannes, *op. cit.*, 1901, chap. XXXIII : Troisième maison héréditaire, le duc de Tcheou (prince) de Lou, p. 104-106.

8. Couvreur, *Tch'ouen Ts'iou et Tso Tchouan*, 1914, L, livre II : Houan Koung, Vᵉ année, p. 83-84.

Chine actuelle

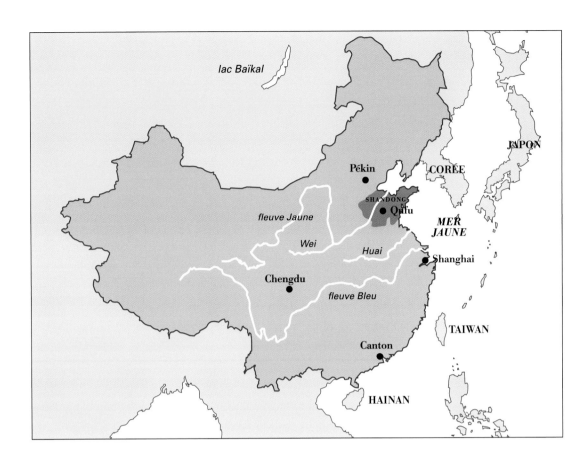

Chine des Printemps
et Automnes

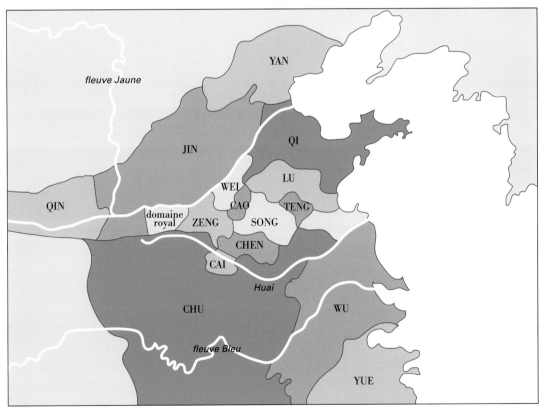

gouverné par un des frères du roi Wu. Les autres fiefs, sauf celui de Lu, 魯, gouverné par le fils du duc Dan de Zhou[9], reçurent pour gouverneurs des membres très proches de la famille du roi Cheng de Zhou. Ce sont les États de Jin, 晉, au Shanxi, Ying, 應, au Henan central, Qi, 齊, au Shandong et Yan, 燕, au Hebei. Pourtant, au commencement de l'époque des Printemps et Automnes, on ne recensait pas moins de cent quarante-huit domaines. Il s'était donc créé une pléiade de petits États que leur faiblesse militaire et leur position géographique rendaient particulièrement susceptibles d'être phagocytés par leurs voisins plus puissants, Jin, Qi, Wei, Zheng, Song, Lu et Yan. Sans parler des quatre nouveaux acteurs entrés en scène et dont les ambitions allaient peu à peu profondément modifier les équilibres existants : Chu, au centre sud, 楚, Wu, 吳 et Yue, 越 au sud-est et enfin Qin, 秦 à l'extrême nord-ouest. L'importance des petits États de Cao, 曹, Xu, 許, Chen, 陳, et Cai, 蔡, vient de ce qu'ils étaient placés aux frontières des plus puissants et étaient par conséquent utilisés le plus souvent comme des zones tampons dans les conflits qui ne cessaient d'opposer les principautés dans leur course à l'hégémonie.

Car en fait, c'est bien de cela qu'il s'agit. Qui recueille l'hégémonie doit avoir reçu l'aval de l'ensemble des États et surtout celui du roi (même s'il n'est que de pure forme) auquel il doit aide et protection. Ce système dit aussi *ba*, 霸, ébauché par Zheng et mis en forme par le duc Huan Gong, 桓公 de Qi (685-636) et son conseiller Guan Zhong, 管仲 (730-645)[10], était destiné à restaurer l'autorité royale. Il se proposait également de veiller aux bonnes relations entre les diffrérents États et de se faire leur protecteur face aux agressions de toutes sortes auxquelles ils ne manquaient pas d'être confrontés. Le duc de Qi définit en outre une sorte de charte visant à interdire les usurpations. Ce mode de gouvernement, abstraction faite de l'allégeance obligatoire au Fils du Ciel, reproduisait les modalités du pouvoir royal à l'échelle de la principauté. Cela constituait un dangereux progrès vers l'autonomie d'autant plus que Qi s'était de plus doté à cette occasion d'une administration centralisée, une restructuration qui lui permettait de mobiliser ses ressources humaines et matérielles avec une efficacité bien supérieure à celle des autres États[11]. L'attitude ambiguë de Confucius à l'égard de Qi (*Lunyu*, III, 22 ; V, 16 ; VI, 22 et VII, 13) procède peut-être à la fois d'un plein accord éprouvé à l'égard d'un État qui, manifestement, cherchait à se conformer à la «Voie droite» et d'une sourde inquiétude liée à la brèche béante que cette politique semblait ouvrir sur toutes sortes de déviances. Nombre d'événements en effet, dont certains sur le territoire de Lu, vont dans ce sens, notamment le développement du mépris de toutes les règles au profit de l'ambition personnelle la plus violente et la plus cynique.

L'hégémonie de Jin, naissance et déclin.
Évolution de la situation au cours du siècle précédant la naissance de Confucius, vers 650-550 avant notre ère

C'est du reste une lutte de succession entre les cinq fils du duc Huan de Qi en 643 qui mit fin à l'hégémonie. Song, qui avait œuvré à rétablir la paix à Qi, proposa sa candidature qui ne fut pas acceptée et c'est finalement la principauté de Jin qui recueillit l'hégémonie en 632.

À cette époque, les États les plus puissants sont au nombre de quatre : Qin, le plus à l'ouest, intervient dans certains conflits mais ne joue encore aucun rôle dans les conférences interétatiques, au contraire de Jin au centre, de Qi à l'est et Chu au sud. Tous ont des frontières ouvertes sur l'extérieur qui leur permettent d'agrandir leur territoire et

---

9. Voir plus haut, p. 2.

10. Sur la fréquence des conférences interétatiques et le montant des tributs dus par les diffé-

rentes principautés, on pourra se reporter à Couvreur, *op. cit.*, 1914, t. III, livre X : Tchao Koung, XIIIe année, p. 231-238.

11. Pour plus de détails sur les hégémonies, se reporter à Loewe et Shaughnessy, *op. cit.*, p. 551-566.

leur donnent une indéniable supériorité sur l'ensemble des autres principautés enfermées au centre, *zhongguo*, 中國, dans le sillage d'un domaine royal de plus en plus réduit et affaibli par d'incessantes luttes internes.

Qin, dont les ambitions sont vastes, et Qi, souhaitant probablement reconquérir l'hégémonie, vont s'efforcer de déstabiliser Jin. Cependant, les percées de Chu vers le nord constituent un danger commun bien réel contre lequel vont s'unir les ennemis d'un jour. Un premier traité est signé en 579[12] mais il est presque aussitôt violé. Jin parvient néanmoins à restaurer son autorité sous le règne du duc Dao 悼公 (572-558) et les combats entre Jin et Chu prennent cette fois officiellement fin en 546 à la suite d'un traité signé à Shangqiu, capitale de Song, par les principaux États en cause[13].

C'est une belle réussite et il est de fait que l'on n'observera plus de conflit majeur entre ces deux puissances pendant près d'un demi-siècle. Pourtant, sans parler des nouvelle menaces que l'État de Wu va faire peser sur ce fragile édifice à la fin du VIe siècle, il est clair que le système du *ba* n'est plus qu'un mot creux, vidé de sa réalité, un de ces nombreux mots sans doute qu'il serait bon de faire passer au crible du *zhengming*, 正名, de la « rectification des noms » selon Confucius (*Lunyu*, XIII, 3). Certes, on continue de s'y référer mais après la mort du duc Dao de Jin, on tendra de plus en plus à se dispenser, sinon dans les mots du moins dans les faits, de l'allégeance obligatoire au Fils du Ciel tandis que les structures politiques qu'implique le *ba* ne serviront plus que les intérêts personnels de ceux qui aspirent au pouvoir absolu. Et pour ce faire, rien n'apparaîtra plus efficace que de renverser les chefs d'États légitimes pour les remplacer par des hommes nouveaux.

Comble de l'ironie, c'est à Lu que survient en 562 la première atteinte au pouvoir ducal qui perd l'essentiel de ses moyens de gouverner. Qui plus est, le phénomène, si l'on en croit Sima Qian[14], remonterait aux événements qui ont suivi la mort du duc Wen en 609 dont les deux fils furent assassinés par celui de sa favorite, lequel prit le pouvoir sous le nom de duc Xuan : «…À partir de ce moment, dans le pays de Lou, la famille ducale déclina et les trois [familles issues des fils du duc] Hoan[15] devinrent puissantes. » Ce sont en effet ces trois familles, Meng, 孟 , Shu, 叔 et Ji, 季 qui, en 562, s'arrogent les revenus et les armées de l'État de Lu.

D'autres usurpations surviennent, à partir de 550 dans la principauté de Jin, de 532 dans celle de Qi. Elles mèneront à des guerres civiles qui se déclencheront au soir de la vie du Maître annonçant le dernier et très violent épisode de l'histoire de la Chine avant son unification en 221 avant notre ère.

C'est au cours de cette période critique, dans ce monde en pleine mutation qui n'a pas encore osé faire ouvertement table rase de l'autorité royale mais qui est déjà prêt à tout pour assouvir sa soif de pouvoir, que le Maître va tenter sans grand succès de se faire entendre.

Le texte du « Siècle de Confucius », p. 50, propose au lecteur, sous forme de biographie, les divers événements qui, au cours des soixante-douze années de la vie du maître, ont pu le concerner, soit personellement soit indirectement[16].

12. Couvreur, *op. cit.*, 1914, t. II, livre VIII : Tch'eng Koung, XIIe année, p. 93-94.

13. *Ibid.*, t. II, livre IX : Siang Koung, XXVIIe année, p. 475-480.

14. Chavannes, *op. cit.*, 1901, chap. XXXIII : Le duc de Tcheou, (prince) de Lou, p. 117.

15. Ces trois familles sont issues des trois frères cadets du duc Zhuang de Lu (693-662) qui étaient fils du duc Huan de Lu ; cf. Chavannes, *op. cit.*, p. 111.

16. Chavannes, *Les Mémoires historiques*, chap. XXXI-XLII et XLVII ; Couvreur, *Tch'ouen Ts'iou et Tso Tchouan*, 3 vol. ; Legge, *The Chinese Classics*, vol. I, p. 36-90. Voir aussi la biographie proposée par J. Levi, *Confucius*, 2002, p. 319 et la note qui l'accompagne

Les rites et le culte des ancêtres

OFFRANDES ET SACRIFICES faits par le Fils du Ciel en l'honneur des ancêtres, du Ciel et de la Terre, des esprits tutélaires du territoire et des moissons et des cinq sortes de dieux domestiques, rythment de leur cérémonial codifié à l'extrême l'étirement du temps au fil des mois, des saisons ou des années. Les princes feudataires font de même, à l'exception des sacrifices au Ciel et à la Terre, les grands préfets n'ont le droit de célébrer que les cinq sortes de dieux domestiques ; quant aux simples officiers, ils ne font d'offrandes qu'aux mânes de leurs pères.

De ces divers cultes, tous attachés à établir sans faute une communication avec les esprits de la nature, de la terre et du ciel, c'est à celui des ancêtres que revient le rôle le plus puissant et le plus fondamental dans la formation et le devenir de la société chinoise tout entière. Pratiqué par le Fils du Ciel dans un temple comportant sept salles – cinq pour un prince feudataire, trois pour un grand préfet, une seule pour un simple officier, tandis qu'un particulier faisait des offrandes aux mânes de ses parents dans ses appartements ordinaires – il eut à l'époque Shang d'autant plus de force que les princes étaient encore tous des proches du souverain. On a traditionnellement dénombré cent familles, un chiffre que l'archéologie augmente d'au moins cinquante noms sans compter ceux qui n'ont pas encore été répertoriés comme celui qui est répété sur chacune des sept pièces de l'exceptionnel ensemble de la fin de l'époque Shang présenté dans cette exposition (cat. 1-7).

Au cours de la deuxième moitié de l'époque suivante, sous les Zhou de l'Ouest, une grande réforme du rituel eut lieu, vraisemblablement due à l'extension du territoire et à la multiplication naturelle des fiefs. Le décor de surface tend vers des lignes géométriques en faible relief tandis que personnages et animaux en ronde bosse animent les couvercles, *lian*, 奩, (cat. 8), les anses, *gui*, 簋, (cat. 9) ou les bases, *fu* à grains, 簠, (cat. 11). S'établit alors un système qui définit quels types de bronzes rituels et en quel nombre ils se répartissent selon le rang du défunt. La période des Printemps et Automnes (771-453) pérennise ce système et la plupart des bronzes, en dehors de quelques variantes locales – *hu* aux deux têtes de serpent, 壺, (cat. 12) ou encore le *lei* à l'oiseau sur son couvercle, 罍, (cat. 14) – sont peu différents dans l'ensemble de ceux de la période précédente. Le système est en effet adopté partout, y compris dans des royaumes périphériques qui tentent précisément à cette époque des percées très remarquées. Alors pourtant que l'autorité royale entre dans un déclin auquel seule la fondation de l'Empire, en 221 avant notre ère, mettra fin et que les principautés cherchent toutes à obtenir l'hégémonie sur leurs rivales, les bronzes rituels, par leur répartition dans les tombes et par leur décor, portent indéniablement en eux les germes de l'unité à venir. Avant cela, néanmoins, la débâcle royale atteint son apogée au cours de la période dite des Royaumes combattants (453-221). C'est alors que se multiplient les infractions rituelles et que de plus en plus nombreux sont les roitelets qui font déposer dans leurs tombes le nombre de bronzes rituels réservé jusqu'alors au seul souverain sous le ciel. Du reste, même si certains sont encore de véritables chefs-d'œuvre *lei* (cat. 15) et présentoir *dou*, 豆, en forme de canard endormi (cat. 18), le décor de surface tend peu à peu à disparaître, *hu*, 壺 *ding*, 鼎 et *dou*, 豆 (cat. 13, 16-17), leur nombre et leur qualité décroissent tandis que des ornements de tous ordres sont enrichis d'incrustations d'or, d'argent et de pierres semi-précieuses : miroir (cat. 19).

Transposées en d'autres matériaux (157-160) ou bien même reprises en bronze, les formes des bronzes rituels de l'époque de Confucius continueront d'accompagner la célébration du culte des ancêtres jusqu'à la fin de la dernière dynastie chinoise. De plus, au cours de son règne, en 1771, l'empereur Qianlong, 乾隆, décida de sélectionner lui-même dans la salle du Trésor impérial dix bronzes rituels datant des époques Shang et Zhou afin qu'ils remplacent l'ensemble servant au culte dans le temple de Confucius à Qufu, fondu à l'époque des Han et qui, selon lui, avait perdu son lustre d'antan (96-105). Cette pérennité du culte et de la typologie des vases rituels après tant de siècles est bien le signe indiscutable du génie du maître et de l'emprise qu'il avait su prendre sur l'inconscient collectif de ses compatriotes par l'accent unique qu'il mit un jour sur le poids social et culturel ainsi que sur le respect et la sincérité avec lesquels on devait pratiquer les rites.

C. D.

1-7 | **Ensemble de sept récipients en bronze pour célébrer le culte des ancêtres**
Fin de l'époque Shang, XIIIᵉ-XIIᵉ siècle avant notre ère
Paris, MNAA-Guimet, Don de la Fondation Li Ka Shing, 2002

Deux calices *gu*, pour les boissons fermentées H. 30,9 cm
MA 7082-a,b

Deux coupes à libations *jue*, pour les boissons fermentées
H. 30,9 cm
MA 7083-a,b

Un vase à anse *you* pour les boissons fermentées
H. 29 cm
MA 7085

Un tripode *ding* pour cuire les aliments
H. 21 cm
MA 7084

Un bol *gui* pour présenter les céréales cuites
H. 19,4 cm
MA 7086

Tous, sauf le *you* dont le couvercle est scellé par la corrosion, portent à l'extérieur ou à l'intérieur une inscription identique en deux graphes qui représentent sans doute le nom de la famille à qui cet ensemble appartint, un phénomène exceptionnel.

8 | **Coffret rectangulaire *lian* pour ranger les objets de toilette**
Bronze
Époque des Zhou de l'Ouest, vers le IXᵉ siècle avant notre ère
H. 11,6 cm ; L. 12 cm ; l. 7,5 cm
Jinan, musée provincial du Shandong

Gui **de Song, récipient couvert
pour les offrandes de céréales**

Bronze

Époque des Zhou de l'Ouest, vers le IXᵉ siècle
avant notre ère

Une inscription en cent cinquante-deux caractères
indique que le bronze a été fondu pour le sieur
Song en charge des entrepôts de la ville de Luoyang

H. 30,1 cm ; D. 24,2 cm

Jinan, musée provincial du Shandong

10 | **Vase *xu* de Ti, pour la cuisson des céréales**

Bronze

Fin de l'époque des Zhou de l'Ouest,
IXᵉ-VIIIᵉ siècle avant notre ère

Une inscription mentionne le patronyme Ti et le nom *xu*
de ce récipient dans lequel on fait cuire du gingembre.

H. 11,6 cm ; L. 14,9 cm

Jinan, musée provincial du Shandong

11 *Fu*, **récipient couvert rectangulaire pour les offrandes de céréales**

Bronze

Époque des Printemps et Automnes, vers le VIIIᵉ-VIIᵉ siècle avant notre ère

Provient du district de Feicheng au Shandong, fouilles de 1963

H. 17,5 cm

Jinan, musée provincial du Shandong

12 | **Grand vase *hu* pour les boissons fermentées,
couvercle orné de serpents lovés et têtes dressées**

Bronze

Époque des Printemps et Automnes,
vers le VIIIe-VIIe siècle avant notre ère

Provient du district de Yishui au Shandong,
fouilles de 1978

Porte une inscription en trois caractères :
« *Hu* fondu pour le duc »

H. 47 cm ; D. ouverture, 16,5 cm ; D. base, 23 cm

Jinan, musée provincial du Shandong

13 | **Vase *hu* pour les boissons fermentées sans décor
sauf deux masques porte-anneaux avec leurs anneaux**

Bronze

Époque des Royaumes combattants, Ve-IVe siècle
avant notre ère

Provient d'un lot de seize bronzes ayant appartenu à la famille
Guo découverts en 1956 sur le site de l'ancienne capitale de la
principauté de Qi au Shandong

H. 45 cm ; D. ouverture, 14 cm ; D. base, 17 cm

Jinan, musée provincial du Shandong

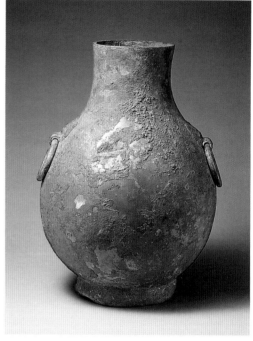

14 Grand vase couvert de type *lei* à décor de
cannelures horizontales, sommé d'un oiseau

Bronze

Époque des Printemps et Automnes,
vers le VIIIe-VIIe siècle avant notre ère

Provient du district de Yishui au Sandong,
fouilles de 1925

H. 53,4 cm ; D. ouverture, 25,1 cm ; D. base, 20,5 cm

Jinan, musée provincial du Shandong

15 | Grand vase de type *lei* ou *fou* de Chu
à décor en motifs de « plumes et boucles »

Bronze

Époque des Royaumes combattants,
Vᵉ siècle avant notre ère

Porte une inscription en trois caractères

Provient de Taian au Shandong, fouilles de 1954

H. 37,6 cm ; D. ouverture, 23,8 cm ; D. base, 23,8 cm

Jinan, musée provincial du Shandong

16 | **Tripode *ding* pour cuire les aliments, sans décor
sauf une ligne en relief au milieu de la panse**

Bronze

Époque des Royaumes combattants,
Vᵉ-IVᵉ siècle avant notre ère

Fait partie d'une paire et provient du même lot de seize
bronzes que le n° 15 ; porte une inscription en deux
caractères identifiant la famille Guo

H. 32,5 cm ; D. 37,8 cm

Jinan, musée provincial du Shandong

17 | **Présentoir *dou*, sans décor**

Bronze

Époque des Royaumes combattants,
Vᵉ-IVᵉ siècle avant notre ère

Fait partie d'une paire et provient du même lot de seize
bronzes que les deux numéros précédents

H. 39,5 cm ; D. base, 19 cm ; D. coupe, 24,7 cm

Jinan, musée provincial du Shandong

18 Présentoir *dou* en forme de canard endormi
à décor de surface très elaboré

Bronze

Époque des Royaumes combattants,
milieu du Vᵉ siècle avant notre ère

Provient du royaume de Chu

H. 25 cm ; coupe : L. 17 cm ; l. 14,52 cm

Paris, MNAA-Guimet, MA 7068

19 Grand miroir circulaire en bronze à incrustations d'or, d'argent et de turquoises

Bronze

Époque des Royaumes combattants, Vᵉ-IVᵉ siècle avant notre ère

Provient de l'ancienne capitale de la principauté de Qi, fouilles de 1963

D. 29,8 cm

Jinan, musée provincial du Shandong

20 **Parure constituée de soixante-dix-sept pièces en agate et cristal de roche**

Époque des Royaumes combattants

Provient d'un site d'habitation dans l'ancienne capitale de la principauté de Qi, fouilles de 1973

L. totale 36 cm

Jinan, musée provincial du Shandong

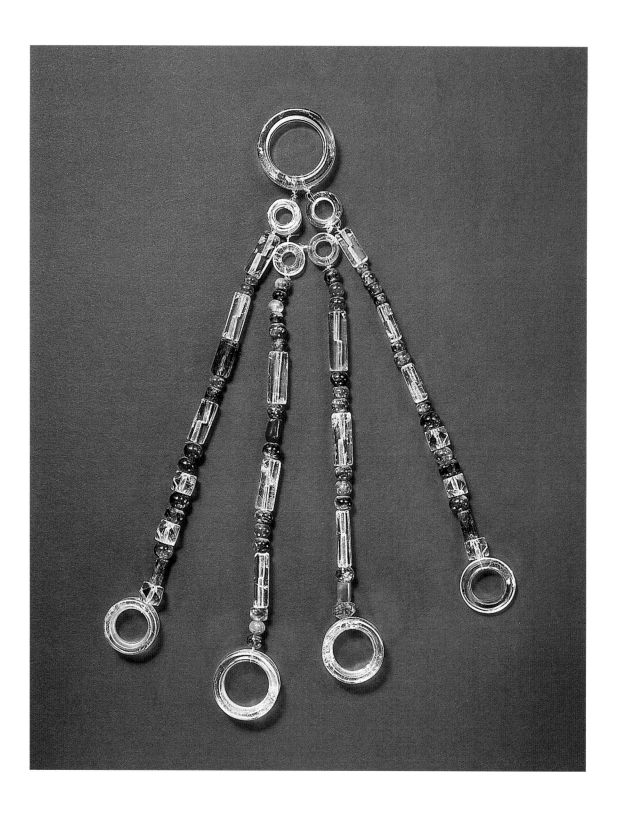

**Parure constituée de onze pièces de jade,
insigne de rang**

Époque des Royaumes combattants

Provient de l'ancienne ville de Qufu dans la principauté
de Lu, fouilles de 1978

D. disque *bi*, 5,3 cm ; L. dragon, 11 cm

Jinan, Institut de recherche et d'archéologie du Shandong

Catherine Delacour

Le siècle de Confucius

Les jeunes années, 551-531

551. Naissance à Qufu, 曲阜, principauté de Lu, près de l'actuelle Jinan dans la province du Shandong. Cette naissance couronne l'union contractée entre Shuliang He, gouverneur d'une ville du Shandong, homme d'un âge certain, et une jeune femme de quatorze ans, issue de la famille Yan. C'est en insistant sur la noble ascendance de Shuliang He dont il assure qu'elle remonte aux « Saints Rois » que le père a proposé ce mariage à ses trois filles[1].

550. Mort du père. Ses ancêtres, autrefois hauts dignitaires, descendaient des Shang par l'intermédiaire du rejeton placé par les Zhou vainqueurs à la tête de la principauté de Song pour y perpétuer les sacrifices aux ancêtres. Des conflits politiques les avaient relégués au rang de simple patriciens et incitèrent finalement l'un d'eux à quitter Song pour s'établir à Lu. Ce fut le grand-père de Shuliang He. Cette ascendance aurait, dit-on, fait la fierté du maître.

Certains commentateurs estiment que Shuliang He mourut trois ans après la naissance de son fils.

546-500. *En 546 se tient à Shangqiu, la capitale de Song, une conférence de paix initiée par Song et Zheng où tous les États sont réunis, dont Qin et Qi, et dont le but est de mettre en place une paix durable entre Jin et Chu qui n'ont cessé de se combattre depuis le milieu du VIIe siècle.*

540. Mort du prince Xiang Gong de Lu.

537. Le chef de la famille Ji, Ji Sun, 季孫, s'empare de la quasi-totalité du pouvoir aux dépens du duc et des deux autres familles, Shu et Meng. Les revenus de la famille princière sont alloués pour moitié à la famille Ji, Shu et Meng ne bénéficiant chacun que d'un quart de la moitié restante (*Lunyu*, XVI, 2-3).

532. Confucius prend femme. Elle vient de la principauté de Song.

531. Il lui naît un fils qu'il prénomme Li. **Il a vingt ans.**

Premiers emplois et voyage à Luoyang, capitale du domaine royal zhou, 531-517

530. Il aurait alors commencé à enseigner « les doctrines de l'Antiquité », peut-être au servive de la famille Ji.

529. Le nouveau chef de la famille Ji, Ji Pingzi, 季平子, attaque deux villes du Shandong sans autorisation. Pour cette raison, le prince de Lu n'est pas admis à la conférence des princes présidée par Jin et Ji Pingzi est fait prisonnier. Au cours de cette conférence, le ministre de Zheng, Zichan, 子產, plaide en faveur de justes contributions

1. Le discours du père Yan est rapporté dans un ouvrage hagio- graphique très postérieur, le *Jiayu*, qui nous apprend que des trois filles, c'est la cadette qui a accepté. Pour ce mariage, cf. ci-après le texte de D. Elisseeff (p. 60-69).

versées par les principautés. On raconte que Confucius aurait dit qu'en cette occasion Zichan s'était montré le digne soutien de l'État et que dans cette assemblée des princes, grâce à lui, le montant des contributions avait été réglé[2]. Considéré comme un bon ministre par le maître : *Lunyu*, V, 15 et XIV, 10.

528. Date supposée de la mort de sa mère ; il observe un deuil de vingt-sept mois, **il a vingt-trois ans.**

522. Le duc Jing de Qi, avec son conseiller Yan Ying, rend visite à Lu et s'entretient avec Confucius (*Lunyu*, V, 16). Zi Chan, ministre de Zheng, meurt. Il est pleuré par Confucius : « Tseu tch'an (Zi Chan) conservait un reste des principes chers aux anciens[3]. »

518. Vingt-quatrième année du duc Zhao de Lu ; mort de Meng Xizi, 孟僖子, lui succède son fils Meng Yizi, 孟懿子. Meng Xizi, qui eut à se repentir de n'avoir pas eu connaissance des rites et cérémonies, incite son fils à s'instruire auprès de Confucius. Sima Qian aurait daté à tort cette anecdote de l'an 535[4]. Meng Yizi et l'un de ses amis ou parents, Nangong Jingshu, 南宮敬叔, deviennent alors élèves de Confucius.
D'après certains, ce fait concourut à asseoir la réputation de Confucius. Celui-ci fit alors part à Nangong de son désir d'aller étudier les rites et la musique de Zhou. Nangong demande pour Confucius l'autorisation au duc Zhao de Lu qui la lui donne et fournit pour le voyage un char, deux chevaux et un serviteur[5]. C'est donc à Zhou qu'il se perfectionne dans l'étude de la musique et des rites de la dynastie des Zhou – mais il n'y aurait eu aucun contact politique. C'est enfin à cette période de sa vie que l'on a situé l'épisode imaginaire de sa rencontre avec Laozi.
La même année il est de retour à Lu, **il a trente-trois ans.**

Séjour auprès du duc de Qi, retour à Lu et troubles dans la principauté, 517-501

517. Le duc de Lu tente de se défaire de l'emprise des Trois familles en essayant d'éliminer Ji Pingzi sous un prétexte futile qui tourne à la confrontation armée. Bien que non soutenu par l'ensemble de la population et incité à la mansuétude, le prince persiste à vouloir sa mort. Les soldats du prince ne montrent aucun empressement et le conflit se solde par un échec cuisant pour le prince qui doit s'exiler à Qi.
Confucius part peu après en raison peut-être des troubles qui sévissent alors à Lu mais peut-être aussi en manière de soutien à son prince (*Lunyu*, VII, 30).

517-510. Le Maître séjourne à Qi. Ce séjour lui permet de se familiariser avec la musique Shao, 韶, une musique que l'on jouait au temps de l'empereur Shun pour lequel il avait une grande vénération (*Lunyu*, VII, 13 et III, 25).

Le duc Jing de Qi se propose de le traiter comme s'il était d'un rang intermédiaire entre le chef de famille Ji et le chef de famille Meng (*Lunyu*, XVIII, 3). Ce serait au cours d'une discussion portant sur l'art de gouverner que le Maître aurait répondu au duc Jing de Qi : « Que le souverain agisse en souverain, le ministre en ministre, le père en père et le fils en fils » (*Lunyu*, XII, 11). Le duc se dit très satisfait de son conseiller et se propose de l'apanager. C'est alors semble-t-il que le Maître décide de revenir à Lu[6].

510. Le duc Zhao de Lu en exil à Qi a quitté cette principauté en 514, mais il ne peut obtenir de regagner la capitale de Lu, car il ne parvient à se faire accepter ni à Lu, ni hors de Lu[7]. Il meurt en semi-exil en 510. **Confucius a quarante et un ans.**

---

2. Couvreur, *op. cit.*, 1914, livre X : Tchao Koung, XIIIe année, p. 235-238.

3. *Ibid.*, p. 330.

4. Chavannes, *Mémoires historiques*, *op. cit.*, p. 294, note 3.

5. Voir une version un peu différente *ibid.*, chap. XLII, p. 299.

6. Sima Qian donne comme explication le fait que le ministre de Qi, Yan Ying, aurait prévenu le duc contre l'influence néfaste de faiseurs de discours tels que Confucius ; cf. Chavannes, *op. cit.*, chap. XLII, p. 306-309 et les notes qui accompagnent ce passage.

7. Couvreur, *op. cit.*, 1914, livre X : Tchao Koung, XXXIIe année, p. 473.

509. Le corps du duc est ramené à Lu et il est enterré. Lui succède, non l'héritier désigné, mais un autre membre de la maison ducale, le duc Ding, 定公. Par haine du prince Zhao, Ji Pingzi creuse une tranchée entre sa tombe et celle des autres princes afin qu'il en soit séparé.

506-470. Wu qui a peu à peu englobé les satellites de Chu amène cet État au bord de l'effondrement en 506. En 496 le roi de Wu meurt sous les coups de Yue mais en 493 le nouveau roi de Wu, Fuchai (495-474), venge la mort de son père. En 485 il remporte une victoire sur Qi et réclame la tenue d'une conférence interétatique pour recueillir l'hégémonie. Ainsi en 482, à Huangchi, face à la force armée la plus puissante du moment, Jin cède l'hégémonie à Wu qui la conserve jusqu'en 470.

506. Une conférence interétatique se tient à Zhaoling. Tous les chefs des principautés y compris de celle de Lu y assistent. La conférence a été suscitée par Jin qui a reçu l'appel au secours du petit État de Cai pris en tenaille entre Chu et Wu.

505. Cette année-là meurt le chef de la famille Ji, Ji Pingzi. Lui succède Ji Huanzi 季桓子. Dès lors à Lu, luttes et conflits n'ont de cesse «... ainsi dans le pays de Lou, depuis les grands officiers jusqu'aux fonctionnaires subalternes, tous s'arrogeaient les droits usurpés et s'éloignaient de la droite voie. Aussi, K'ong-tse [Confucius] n'exerça-t-il aucune fonction publique ; il se retira et arrangea les Poésies, le Chou (king) [Shujing], les rites et la musique[8]...»

501. Gongshan Furao, 公山弗擾, au service du chef de famille Ji Huanzi, se rebelle et occupe à Lu la ville de Bi, 費. Il appelle à lui Confucius. Celui-ci aurait envisagé de répondre favorablement et de modeler cet État de façon à en faire le nouveau foyer du bon gouvernement (*Lunyu*, XVII, 5), mais y renonce. **Le Maître a cinquante ans.**

Emplois officiels auprès du duc de Lu, 500-496

Durant cette période, Confucius, officiellement en poste auprès du duc de Lu, aurait été successivement gouverneur de Zhongdu, ville du Shandong, puis ministre de la Justice et enfin conseiller du duc Ding de Lu[9].

500. Confucius déjoue habilement un stratagème imaginé par la principauté de Qi et dirigé contre le prince de Lu qui emploie Confucius, une situation jugée très inquiétante. De ce fait, en effet, Lu ainsi conseillé risquerait d'acquérir une importance politique nouvelle et tout à fait indésirable aux yeux de Qi.

Cette année-là meurt le ministre de Qi, Yan Pingzhong (*Lunyu*, V, 16).

498. Confucius charge Zilu, un de ses disciples, d'être le conseiller du chef de la famille Ji, et se propose de briser la puissance des Trois familles en préparant le démantèlement des places fortes de chacune d'elles : Bi pour Ji, Hou, 郈 pour Shu et enfin Cheng, 成 pour Meng. Shu n'oppose pas une forte résistance mais Bi refuse de se rendre. La rébellion est finalement matée et Ji et Shu s'enfuient à Qi. Bi est alors démantelée. Quant à Cheng, le duc ne peut en venir à bout.

496. C'est en cette année, d'après Sima Qian, que Confucius est nommé conseiller. Il aurait alors réuni la tombe du duc Zhao de Lu à celle des princes l'ayant précédé (cf. année 509). Cette nomination inquiète à nouveau Qi et pour les mêmes raisons que l'année précédente. Qi recourt donc une fois de plus à un stratagème visant à provoquer la démission de Confucius. Connaissant le goût du prince de Lu et du chef de la famille Ji pour les femmes, il parvient facilement, par l'envoi de toute une troupe de jolies bayadères, à leur faire oublier leurs devoirs, ce qui a l'effet attendu sur le « Conseiller » qui décide de s'expatrier (*Lunyu*, XVIII, 4). **Il a cinquante-cinq ans.**

---

8. Chavannes, *op. cit.*, chap. XLII, p. 316.

9. Ces différentes fonctions n'auraient d'autre fondement historique qu'un emploi officiel mineur qu'il aurait obtenu peu avant d'être contraint de quitter Lu ; cf. Loewe et Shaughnessy, *The Cambridge History of Ancient China, op. cit.*, p. 752.

496. Confucius a donc cinquante-cinq ans et part pour l'État de Wei, 衛. Il y reste dix mois avec un traitement équivalent à celui qu'il avait à Lu. Puis, calomnié auprès du duc Ling de Wei, il estime plus sage de partir. Il décide d'aller dans l'État de Chen, 陳 mais, pris pour un autre, il se fait attaquer et arrêter à Kuang, 匡, en pays de Song, 宋 avant d'y parvenir (*Lunyu*, IX, 5 et XI, 22).

495. Il décide par conséquent de rentrer à Wei où il est très bien accueilli mais pas davantage écouté. Il y reste un mois et repart pour Chen. Ses pas le mènent d'abord dans l'État de Cao, 曹 mais cette fois, en passant par Song il échappe à un attentat. Cet incident ne le décourage pas le moins du monde (*Lunyu*, VII, 22) ; il poursuit sa route vers Zheng, 鄭 et parvient enfin à Chen.

Cette année voit disparaître à Lu le duc Ding auquel succède son fils duc Ai, 哀.

494. Il reste à Chen toute cette année 494. Cependant, la principauté est attaqué par l'État de Wu, 吳 tandis que le royaume de Chu, 楚 s'en prend à la principauté de Cai, 蔡 dont le seigneur doit s'exiler dans l'État de Wu. Confucius fuit ces troubles et retourne à Wei. Sur le chemin, une fois encore il se trouve en difficulté à Kuang qui s'est rebellée contre Wei. En assurant qu'il ne se dirige pas vers cette principauté, il est autorisé à repartir[10]. Ne trouvant pas d'emploi à Wei (*Lunyu*, XIII, 10), il pense tenter sa chance auprès de Jin, la grande principauté du moment, mais, lorsqu'il s'apprête à passer le fleuve Jaune, il apprend que l'on vient d'assassiner « deux sages grands officiers du royaume de Tsin [Jin] », c'est ainsi qu'il revient à Wei.

493. Interrogé un jour par le duc de Wei sur l'art militaire, il s'abstient de répondre (*Lunyu*, XV, 1) et préfère quitter la principauté. Il reprend la route, se dirige vers Chen. Cette année-là meurt le duc Ling de Wei.

492. Il est encore à Chen quand il apprend qu'un incendie s'est déclaré au temple des ancêtres de Lu. Il devine quelles salles ont souffert.

Le chef de la famille Ji, Ji Huanzi, un peu avant de mourir cette année-là, demande à son fils Ji Kangzi qui doit lui succéder à Lu de prendre Confucius à son service. Confucius, toujours à Chen, décline l'invitation.
Un traité est passé entre Jin et Chu.

491. Confucius se rend de Chen à Cai. Le duc Zhao de Cai, qui se préparait à rejoindre le roi de Wu qui l'avait mandé, est assassiné en route, dans la crainte qu'il n'accepte de faire transférer la capitale et tous ses habitants.
Sur le chemin de Chen à Cai, Confucius et ses disciples ont du mal à s'approvisionner et souffrent de la faim.
Le Maître a soixante ans.

490. Le roi de Chu envahit le territoire de Cai. Le duc Jing de Qi meurt.

489. Confucius se rend à She, 葉, une ville située dans l'État de Chu, aux frontières nord de la principauté. Il rencontre le gouverneur de She (*Lunyu*, VII, 18), puis il repart vers Cai et y reste jusqu'en 489 (*Lunyu*, XVIII, 6-7). Cette année-là meurt son disciple préféré, Yan Hui, 顏回.

Le roi de Wu attaque Chen. Chu vient au secours de Chen et installe son camp dans la région. Apprenant que Confucius s'y trouve, le roi de Chu lui fait porter des présents et l'invite à lui rendre visite. Le Maître s'apprête à le faire mais les grands officiers de Chen et Cai craignent que cette rencontre ne leur soit défavorable et que Confucius

---

10. Le disciple Zigong, s'étonnant de ce que le Maître ait proféré un mensonge, se serait vu répondre : « C'était un serment extorqué par la violence ; les dieux ne l'ont pas entendu. » Chavannes, *op. cit.*, chap. XLII, p. 345.

n'obtienne un emploi auprès du roi de Chu. Ils auraient donc fait en sorte de l'empêcher de progresser en lui coupant toute possibilité de s'approvisionner[11].

Le roi de Chu, averti des difficultés rencontrées par Confucius, fait venir quelques hommes armés à sa rencontre. Les craintes des grands officiers de Chen et Cai sont confirmées par le désir que manifeste alors le roi de Chu d'offrir un fief à Confucius. Mais, redoutant les ambitions territoriales et politiques que cette offre pourrait susciter chez le Maître, le conseiller du roi de Chu le convainc finalement de n'en rien faire.

On ne sait si Confucius rencontra ou non le roi Zhao de Chu. Celui-ci mourut en effet peu après de mort naturelle et le Maître décida alors de repartir vers Wei

Nous sommes en la sixième année du duc Ai de Lu.

Séjour à Wei puis retour définitif à Lu, 489-479

488. Confucius a soixante-trois ans. Le roi de Wu qui obtient de nombreux succès militaires et ambitionne de recueillir l'hégémonie, ce sera chose faite en 482, exige de Lu un tribut trop important. Ji Kangzi, le successeur de Ji Huangzi, charge le disciple Zigong en service à Lu de s'occuper de régler l'affaire. Ce qu'il fait à l'avantage de Lu. Sima Qian cite à cette occasion l'observation de Confucius concernant les liens de fraternité qui existent entre Lu et Wei (*Lunyu*, XIII, 7), puisque leurs princes descendent repectivement du duc de Zhou, Zhou Gong, 周公 et du prince puîné de Kang, Kang Hou 康侯, tous deux frères du roi Wu de Zhou (1049/45-1043) et qui se portaient une belle amitié[12].

487. Song attaque l'État de Cao 曹 et met fin à la principauté. Il fait mettre à mort son prince et le ministre des Travaux publics. Démêlés entre Qi et Lu à propos d'un prince de Zhu, petite principauté de Shandong. Qi et Lu finalement font la paix.

Aucune mention de Wei cette année-là.

486. Song attaque Zheng, Chu attaque Chen qui a rompu son alliance pour se rapprocher de Jin. Wu demande des troupes à Lu dans le but d'attaquer Qi.

Aucune mention de Wei cette année-là.

485. C'est probablement à cette époque que l'on doit placer le discours du *Lunyu*, XIII, 3 à propos du bon gouvernement associé à la rectification des noms *zhengming*, 正名. Ce passage qui développe peut-être la même notion que celle énoncée au *Lunyu* XII, 11 : «... Que le souverain agisse en souverain, le ministre en ministre, le père en père et le fils en fils...», permet d'imaginer que Confucius adresse de la sorte une critique de la situation du duc de Wei actuel qui a usurpé le trône de son père en 493. Tandis que son père est toujours en exil à Qi, le jeune homme, alors âgé de dix-huit ans, est probablement capable de s'amender, ce que laisse entendre le fait qu'il ait appelé Confucius auprès de lui.

Wu, en la personne de son prince le roi Fu Chai, 夫差 (495-477), aidé par Lu, inflige une terrible défaite à Qi. **Le Maître a soixante-six ans.**

---

11. Pour une discussion sur le peu de vraisemblance de ces incidents à ce moment précis, voir Chavannes, *op. cit.*, chap. XLII, p. 365-366, qui juge plus rationnelle la date de 491.

12. Une autre interprétation, Wei et Lu, frères dans la poursuite de la mauvaise voie, est également possible ; cf. Chavannes, *op. cit.*, chap. XLII, p. 377, qui fait allusion à la situation du duc de Wei décrite à la date de 485.

484. Lu reprend les hostilités contre Qi. C'est un des disciples, Ran Qiu, qui prend le commandement d'une des légions. La victoire est acquise à Ailing, 艾陵, avec l'aide de Wu.

Yue, voyant la puissance de Wu sans cesse augmenter, tente de soudoyer la principauté, sans résultat.

Le haut dignitaire de Wei, Kong Wenzi, 孔文子, un homme pour lequel Confucius avait une grande estime (*Lunyu*, V, 14), lui demande un plan pour accomplir une vendetta personnelle. Le Maître refuse de répondre à cette sorte de question et, découragé, décide de s'en aller. Kong Wenzi, cependant, cherche à le retenir mais arrivent alors trois envoyés de Lu avec des présents qui l'invitent à revenir dans son pays. Cette démarche est le résultat des réponses que venait de faire Ran Qiu au chef de la famille Ji, Ji Kangzi qui l'avait interrrogé sur la personne de Confucius. Nous sommes en l'an 11 du duc Ai de Lu.

483. Le duc Ai de Lu ainsi que Ji Kangzi interrogent le Maître sur plusieurs points de gouvernement. Les réponses sensées et vertueuses de Confucius (*Lunyu*, XII, 22 et XII, 18) ne les incitent cependant pas à lui confier une charge officielle. Confucius décide donc de s'adonner exclusivement à l'enseignement et à l'étude des classiques et de la musique (*Lunyu*, IX,14 ; III, 9 et II, 23).

482. Année de la grande conférence interétatique au cours de laquelle Jin doit céder l'hégémonie à Wu.

481. Lors d'une chasse, on découvre un animal étrange. La description incite Confucius à se rendre sur place ; il identifie une licorne.

Les habitants de Qi mettent à mort leur prince, Jian Gong, 簡公. Confucius demande au prince de Lu de châtier Qi mais le duc fait valoir qu'il n'est pas en mesure de le faire et renvoie le Maître aux chefs des Trois familles. Bien entendu, aucune sanction n'est prise (*Lunyu*, XIV, 22). Confucius se plaît à lire le *Yijing*. Il le lit et relit si souvent et avec tant d'attention que les lanières de cuir se rompent trois fois (*Lunyu*, VII, 16).

480 Chu reprend ses attaques contre Wu. Il y a des troubles à Wei et Zilu y perd la vie. Le Maître tombe malade.

479 Il meurt pendant l'été. Le duc Ai de Lu prononce son éloge funèbre mais, significativement, utilise des expressions impropres et qui plus est se qualifie d'« homme unique », une épithète exclusivement réservée au Fils du Ciel.

C'est la seizième année du duc de Lu. **Le Maître avait soixante-douze ans.**

Conclusion

Environ un siècle plus tard, les quinze États des Zhou de l'Est ne sont plus que sept. Ce sont les anciens Qin, Chu, Qi et Yan auxquels viennent de s'ajouter les trois royaumes issus de la partition de Jin en 453, Wei, Han et Zhao. Tous n'ont plus qu'une idée en tête, agrandir leur territoire aux dépens de leurs voisins et obtenir enfin de régner sans partage sur la totalité du monde situé entre les Quatre mers. Pour ce faire, tous les stratagèmes, même les plus cruels, sont bons à prendre que suggère du reste une armée de nouveaux faiseurs de discours qui vont de cité en cité dans l'espoir d'obtenir et qui obtiennent souvent ainsi un poste officiel. Le résultat le plus net est l'adoption successive du titre de « Roi », jusqu'ici exclusivement réservé au Fils du Ciel, par chacun des sept royaumes entre 344 et 323 avant notre ère. Le plus définitif est la création de l'Empire unifié en 221 sous la houlette du seul maître de Qin, Qin Shihuangdi. L'enseignement de Confucius ainsi que celui des lettrés fondateurs des nombreuses écoles de pensée qui voient le jour au cours de cette période troublée auront, hélas, vivement à pâtir des crises d'autorité du premier empereur.

Pourtant, c'est bien le confucianisme qui sortira vainqueur de cette longue crise d'adolescence de l'empire chinois. Réhabilité, ne conviendrait-il pas plutôt de dire réinventé[13] par Dong Zhongshu (195-114 avant notre ère), bientôt placé au rang de doctrine d'État, il ne cessera d'assurer tout au long de l'histoire les fondements des comportements éducatifs, sociaux et politiques de la Chine des empereurs.

Ainsi, au IIᵉ siècle avant notre ère, le grand historien Sima Qian pouvait-il écrire en guise de conclusion à sa biographie de Confucius[14] :

« Pour moi, quand je lisais les écrits de K'ong-tse [Confucius], j'ai cru voir quel homme il fut ; [puis,] lorsque je suis allé dans le pays de Lou, que j'ai regardé la salle du temple funéraire de Tchong-ni [Confucius], son char, ses vêtements, ses ustensiles rituels, [lorsque j'ai vu] tous les maîtres qui, aux époques prescrites, s'exerçaient aux rites dans sa demeure, je revenais pénétré de respect m'attarder là et je ne pouvais m'éloigner. Dans le monde ils sont légion ceux qui, depuis les souverains jusqu'aux hommes sages, eurent de leur vivant une gloire qui prit fin après leur mort. Mais Confucius, quoique vêtu de toile, a transmis [sa renommée] pendant plus de dix générations ; ceux qui se livrent à l'étude le considèrent comme leur chef. Depuis le Fils du Ciel, les rois et les seigneurs, tous ceux qui dans le Royaume du Milieu dissertent sur les six arts libéraux se décident et se règlent d'après le Maître. C'est là ce qu'on peut appeler la parfaite sainteté ! »

Bibliographie (Les siècles obscurs – le siècle de confucius)

Barbier-Kontler Christine, *Sagesses et religions en Chine, de Confucius à Dengxiao Ping*, Paris, 1996.

Chavannes Édouard, *Les Mémoires historiques de Se-Ma Ts'sien, traduits et annotés*, t. IV (chap. xxxi-xlii), Paris, 1901.

– *Les Mémoires Historiques de Se-Ma Ts'ien, traduits et annotés*, Tome cinquième, (chap. xliii-xlvii), Paris, 1905.

Cheng Anne, *Les Entretiens de Confucius*, Paris, Le Seuil, 1981.

Couvreur Séraphin, *Tch'ouen Ts'iou et Tso Tchouan*, t. I-III, 1914, Hejian Fu, Mission catholique.

Legge James, *The Chinese Classics*, vol. I : *Confucian Analects, The Great Learning, and the Doctrine of the Mean*, Hongkong, 1861.

Levi Jean, *Confucius*, Paris, Pygmalion-Gérard Watelet, 2002.

Loewe Michael et Shaughnessy Edward L., *The Cambridge History of Ancient China, Frome the Origins of Civilization to 221 BC*, Cambridge, 1999.

Yasushi Inoue, *Confucius – "Koshi"*, traduit du japonais par Daniel Struve, Paris, Stock, 1992, 1997.

Pour une vue synthétique sur l'ensemble des textes cités on pourra utilement consulter :

Loewe Michael (éd.), *Early Chinese Texts : A Bibliographical Guide*, The Institute of East Asian Studies, Berkeley, University of California, 1993.

Pour la réhabilitation du confucianisme :

Bujard Marianne, *Le Sacrifice au Ciel dans la Chine ancienne, Théorie et pratique sous les Han occidentaux*, Paris, École française d'Extrême-Orient, 2000.

Pour une récente reconstruction du calendrier de la principauté de Lu et des rois Zhou à l'époque des Printemps et Automnes :

Gassmann Robert H., « Antikchinesisches Kalenderwesen : Die Rekonstruktion der chunqiu-zeitlichen Kalender des Fürstentums Lu und des Zhou-Könige », *Schweizer Asiatische Studien*, Studienhefte 16, Peter Lang, Berne, 2002.

---

13. Cf. D. Elisseeff, *Confucius*, Gallimard, coll. « Découvertes », 2003.

14. Chavannes, *op. cit.*, p. 435.

Chronologie des principaux états à l'époque de Confucius

LU 魯	Xiang Gong 襄公 572-542	Zhao Gong 昭公 541-510	Ding Gong 定公 509-495	Ai Gong 哀公 494-477	
QI 齊	Zhuang Gong 莊公 553-548	Jing Gong 景公 547-490	Yan Ruzi 宴孺子 489	Dao Gong 悼公 488-485	Ping Gong 平公 480-456
JIN 晉	Ping Gong 平公 557-532	Zhao Gong 昭公 531-526	Qing Gong 頃公 525-512	Ding Gong 定公 511-475	
SONG 宋	Ping Gong 平公 575-532	Yuan Gong 元公 531-517	Jing Gong 景公 516-477		
WEI 衛	Shang Gong 殤公 558-547	Xian Gong 獻公 546-544	Xiang Gong 襄公 543-535	Ling Gong 靈公 534-493	Chu Gong 出公 492-481 · Zhuang Gong 莊公 480-478
ZHENG 鄭	Jian Gong 簡公 564-530	Ding Gong 定公 529-514	Xian Gong 獻公 513-501	Sheng Gong 聲公 500-477	
ZHOU 周	Ling Wang 靈王 571-545	Jing Wang 景王 544-520	Jing Wang 敬王 519-476		
WU 吳	Yu Ji 餘祭 547-544	Yi Mei 夷昧 543-527	Liao 僚 526-515	He Lü 闔閭 514-496	Fu Chai 夫差 495-477
CHU 楚	Ling Wang 靈王 540-529	Ping Wang 平王 528-516	Zhao Wang 昭王 515-489	Hui Wang 惠王 488-432	
QIN 秦	Jing gong 景公 576-537	Ai Gong 哀公 536-501	Hui Gong 惠公 500-491	Dao Gong 悼公 490-477	

D'après les tableaux chronologiques de M. Loewe et E. L. Shaughenessy, Cambridge, 1999, p. 27

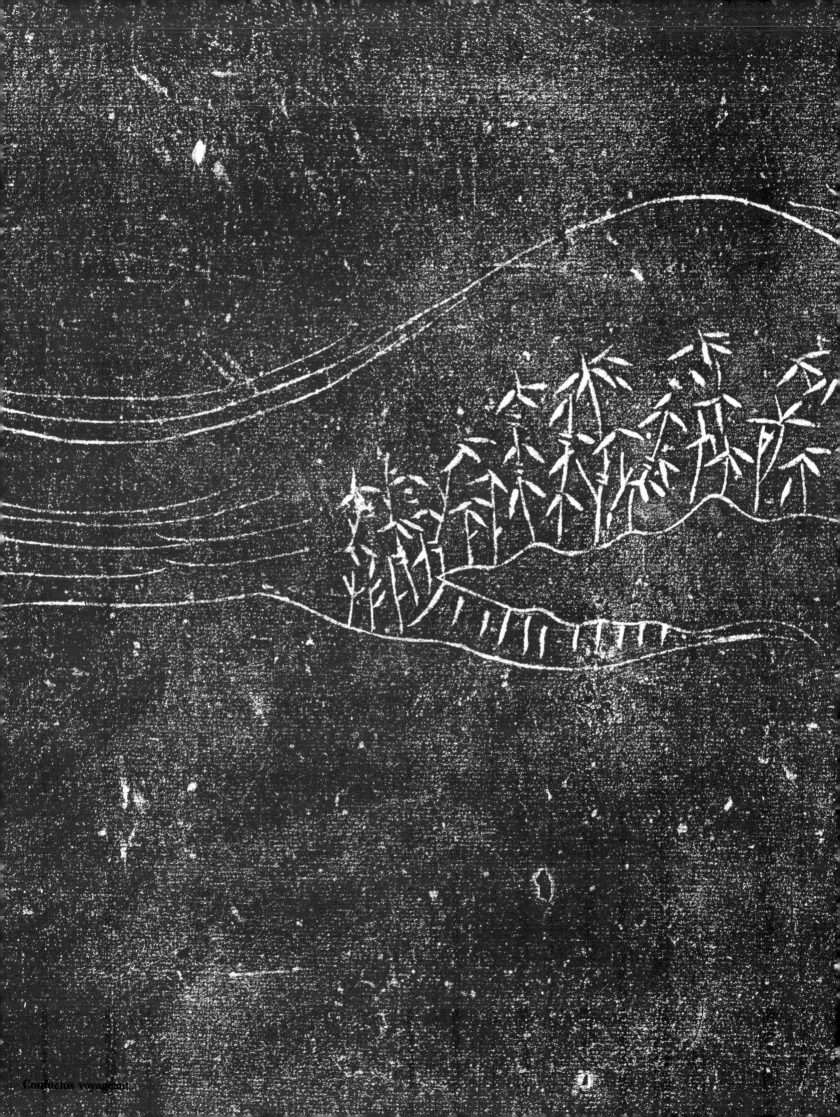

Confucius voyageant

Danielle Elisseeff

Confucius

C'est un lieu où le fleuve Jaune, chargé des limons amassés depuis plus de mille kilomètres, se fraye péniblement un chemin vers la mer, contournant le massif proche du Taishan, 泰山, – l'énorme promontoire rocheux à la base de la péninsule du Shandong. Et c'était alors un temps où la Grande Muraille n'existait pas ; seules les villes étaient murées, ce qui les protégeait, mais les désignait aussi en toute certitude à la concupiscence des pillards, et Dieu sait s'ils paraissaient nombreux. La métallurgie connaissait de nouveaux développements : on savait fabriquer des ustensiles et des armes en fonte de fer ; mais les paysans, comme ils le feront longtemps encore, restaient méfiants, certains continuant à préférer des outils de pierre – et de bois lorsqu'ils travaillaient les rizières – et quelques chefs de guerre conservaient toute leur confiance au seul bronze auquel les maîtres de forges donnaient forme, au sommet de leur art, depuis un millénaire.

Les idées, elles, évoluaient plus vite que la technologie. Une forme simple de monde urbain s'épanouissant au milieu des campagnes, il y avait beau temps que les chamans des villages et leurs transes erratiques – à la recherche d'espaces inconnus, hors de portée des gens ordinaires – paraissaient bien démunis face aux constructions complexes de la religion célébrée dans la capitale. Là-bas, de savants prêtres de cour communiquaient en grande pompe avec les ancêtres de la dynastie. Au fil des siècles, ils avaient fini par créer une langue et une écriture qui leur permettaient de comprendre, disaient-ils, la volonté des âmes et d'en garder la trace, comme on archive le résultat d'une expérience scientifique, ou les attendus d'un jugement. Depuis des générations, le roi et ses ministres accordaient à ces spécialistes rationnels une confiance sans faille. Mais, le temps passant, voici que certains esprits forts commençaient à douter du talent des devins.

Le sentiment s'affirmait que certains hommes, voire certains animaux – pour peu qu'ils se montrent aptes à se conduire en société – en savaient bien davantage encore. La rumeur vantait les talents des *shi*, 士, des sages d'un nouveau genre : éduqués depuis l'enfance dans les « six arts » (*liuyi*, 六藝), comme on les nommera plus tard, les *shi* se reconnaissaient à la large palette de leurs compétences. Non seulement les arts martiaux – le tir à l'arc, la conduite des chars – n'avaient pas de secrets pour eux, mais ils se montraient aussi versés dans la pratique des rituels et de la musique. Celle-ci, depuis l'aube des temps, réglait les rapports entre les hommes, et même les animaux. Ils revendiquaient enfin une éducation tout à fait nouvelle concernant l'écriture et les mathématiques – en fait, les computs calendériques. Ainsi, ils rassemblaient en eux les talents croisés de la force militaire (*wu*, 武) et du savoir civil (*wen*, 文).

Ils s'étaient déjà attiré une indéniable réputation et les gens au pouvoir – membres de la famille qui avait su s'imposer, les armes à la main, comme « royale » – ou leurs serviteurs en appelaient volontiers à leurs lumières, sans se préoccuper de l'obscurité éventuelle de leurs origines, et sans se contenter de l'avis des devins. Les *shi* en tiraient un légitime sentiment de fierté et regrettaient d'autant plus d'être mal considérés des maîtres qui les employaient, voire méprisés. Cette difficulté relationnelle commençait à peser. Chez ces individus compétents, il régnait maintenant, tout à la fois, un esprit de désordre et de contestation. Cette dernière s'alimentait largement, aussi, aux indéniables faiblesses de la dynastie régnante.

Depuis quelque deux cents ans, les souverains Zhou s'étaient en effet installés à Luoyang, 洛陽. Quittant le Shaanxi et le voisinage de sociétés pastorales parfois remuantes, le roi et la Cour avaient préféré se replier à l'intérieur de la grande Plaine, loin des frontières. Or, ce choix paraissait à certains une trahison, un abandon désastreux des principes ambitieux des grands fondateurs. Fuyant prudemment les marches du far west, les souverains Zhou s'étaient-ils rendu compte qu'ils se dépouillaient de leur prestige ? Pire : qu'ils mettaient en difficulté la religion royale ? Car comment continuer à respecter les préceptes qu'ils disaient servir, et même leurs ancêtres, si ces derniers laissaient s'enchaîner les générations nouvelles sans les punir pour avoir perdu leur tonus, leur courage, leur capacité à gouverner ? Il y avait là matière à réflexion, lumière à trouver, ordre à mettre dans une profusion de croyances désorganisées. Confucius – ou tout homme lui ressemblant – devait exister.

Traces réelles et irréelles

Et il existe, mais comme un trou noir, ou comme une planète dans une autre galaxie. Il demeure invisible, bien que des échos marquent sa présence indéniable : des mots – prononcés, peut-être, mais écrits, jamais. Les histoires que ces mots rapportent reposent sur des on dit – dans le meilleur des cas attribués aux disciples et non au sage lui-même, et souvent bien longtemps, voire plusieurs décennies, après qu'il eut disparu. La plus folle relate par exemple la rencontre de Confucius avec Laozi, 老子, qui n'a jamais existé, même si la légende fait de ce dernier un grand maître ès rites de la Cour des Zhou. La notion de vérité « historique », si souvent – toujours ? – insaisissable, n'a ici aucun sens. L'idée s'impose, en revanche, que ces anecdotes ont aujourd'hui un pouvoir extraordinaire et reconnu. Des hommes se les transmettent, de génération en génération, depuis deux mille cinq cents ans, en y trouvant des règles de comportement pour leur propre existence. Certains, au fil des siècles, s'en étonnent. Ils oublient que, de ces propos en apparence si simples, sourd une sagesse souple : elle s'applique à toutes les situations et côtoie toutes les doctrines.

En 1993, un vent d'optimisme souleva le monde de l'archéologie et de l'histoire de la pensée chinoise : on venait de découvrir, à Guodian, 郭店, (dans la province du Hubei), une série de textes archaïques, écrits sur des fiches de bambou que reliaient autrefois des cordonnets. C'était là le support normal dont usaient en ce temps les scribes. Les paléographes y déchiffrèrent, entre autres trouvailles, la mention la plus ancienne actuellement connue de termes qui semblent avoir tenu une grande place dans les enseignements de Confucius : le « destin » (*ming*, 命), la « voie céleste » (*tiandao*, 天道). Tout cela se trouvait mêlé à une avalanche d'autres écrits d'inspiration clairement taoïste, ce qui entraîne une indéniable difficulté d'interprétation, dans un contexte qu'il semble pour l'instant impossible de reconstituer d'une manière convaincante. De plus, le sens des mots n'avait-il pas évolué trois ou quatre générations après la mort du maître ? Quelle que soit la réponse, cependant, il s'agit bien de la première, bien que furtive, apparition de notions confucéennes au sein d'un écrit traduisant une pensée, même si cette dernière relève d'une sensibilité très différente.

Les taoïstes – connus pour leur conception tout à la fois globalisante et mystique de l'univers – se montrèrent en effet toujours hostiles à Confucius et à ceux qui disaient se situer dans son sillage. Ils dénonçaient la prétention du vieux sage et de ses disciples à devenir des « hommes de bien » (*shengren*, 聖人), s'interrogeaient sur la nature et la légitimité de ce « bien » et attaquèrent plus d'une fois, à travers la personne de leur chef de file, ce qu'ils définissaient comme les méfaits d'un enseignement castrateur.

Zhuangzi, 莊子, (vers 370-300), le père spirituel et sans doute le plus grand des penseurs taoïstes, raconte ainsi l'histoire de ce célèbre expert en chevaux qui affirmait jadis savoir juger savamment de leur physionomie et, mieux que personne, les éduquer. Or, selon Zhuangzi, le maître d'équitation apprend aux chevaux à bien se tenir, mais au prix de violences telles que les animaux concernés risquent d'en mourir. Le sens de la parabole est clair : tout homme qui prétend infléchir la nature ne fait que la brutaliser et la musique correcte dont Confucius aurait rebattu les oreilles de ses contemporains ne serait, aux yeux des mystiques, qu'un bruit artificiel perturbant. Si perturbant, parfois, qu'il détruit l'harmonie à la source de la vie.

Confucius plaît justement à cause de ces contours imprécis et contestés, autorisant toutes les lectures. Plongés dans le texte de ses *Entretiens* − dont il existait déjà, aux environs de notre ère, trois versions différentes ! − les optimistes disent qu'il croyait à la bonté de la nature humaine et aux valeurs de l'enseignement. Les pessimistes affirment le contraire, mais y voient la justification des lois et des règlements. Les joyeux reconnaissent en lui un humoriste impénitent, un brave homme irradiant de bonhomie. À l'inverse, les lecteurs de la plus ancienne biographie qui lui fut jamais consacrée − par Sima Qian, 司馬遷, (145 ?-86 ?) dans les *Mémoires historiques* (IIe siècle avant J.-C.) − peuvent, à première lecture, en tirer l'impression contraire : celle d'un homme imbu de lui-même, souvent obséquieux au point d'en devenir ridicule, et parfois violent jusqu'à jeter sur le martroy des malheureux dont nul n'a jamais su précisément quels crimes ils avaient commis.

Sima Qian, donc, consacre à Confucius la plus longue de toutes les biographies au fil desquelles il présente les figures antiques du jeune Empire chinois (fondé en 221 avant J.-C., soit à peu près cent ans plus tôt). Et si l'on peut s'étonner que l'historien dépense tant d'énergie pour parler d'un homme dont on ne savait plus rien depuis longtemps, il convient comme toujours de se méfier des apparences. Sima Qian décrit un modèle − humain, comme lui, peu reconnu, comme lui, et pourtant si grand − et, ce faisant, se dépeint lui-même. Plein de défauts, malheureux, bafoué parfois, moqué souvent, humilié aux limites de l'insoutenable, son héros lui rend l'espoir : d'origine et de fonction relativement modestes, il est en train de devenir, par la seule force de son esprit − vertu, talent, connaissance du passé −, le vrai souverain de la nouvelle civilisation.

C'est pourquoi Sima Qian, habituellement si soucieux de flatter ses personnages, trace ici le portrait d'un perdant, d'un homme qui cherche le bien, mais se débat au milieu des échecs, encombré de multiples faiblesses. En fait, il trace un autoportrait. Il sait aussi, en connaisseur avisé du cœur des hommes, qu'il doit en être ainsi pour asseoir un mythe : les empereurs et les dirigeants de la dynastie des Han viennent de choisir la pensée de tradition confucéenne, sous ses diverses évolutions, pour socle idéologique de leur gouvernement. Or, d'un monde à l'autre, les êtres vraiment grands, ceux en qui chacun peut se reconnaître, ont tous connu la tentation, le péché et l'expérience de l'échec ; c'est le fait de les surmonter qui rend leur conduite exemplaire et utile aux autres.

Jalons d'une vie légendaire

Ces précisions une fois posées, ne serait-il pas utile de se laisser enfin bercer par la légende, telle qu'elle a pu se constituer au fil des ans, jusqu'à se fixer au milieu de la dynastie des Ming ? Laissons donc parler l'imaginaire, mais un imaginaire qui, nourri depuis si longtemps et porté par les espoirs de tant d'hommes, a fini par prendre la valeur d'un incomparable modèle de référence.

L'enfant dont les bâtisseurs de théories allaient faire Confucius vint au monde, dit-on, en 551 avant J.-C. (selon le comput chrétien), d'après les recoupements de Sima Qian. On dit aussi qu'il se fit longuement désirer : sa mère l'aurait porté onze mois ! Chacun admira sa vigueur, son large front, son nez puissant et s'étonna de la forme de son crâne : celui-ci comportait en son milieu une sorte de dépression ; on aurait dit un massif montagneux qui, en son ombilic, pourrait recueillir de l'eau. Le petit garçon reçut donc le nom personnel de Qiu, 丘, ce qui signifiait « tertre » ou « colline » et désignait en particulier une montagne, non loin de Qufu, 曲阜 – la grande ville la plus proche – et que chacun connaissait. Cette montagne, comme toutes ses semblables, suscitait la crainte des paysans de la plaine environnante ; ils en avaient fait un lieu sacré et la mère du bébé n'avait pas manqué d'y aller prier pour demander un fils. Nul ne sait qui eut l'idée de ce nom – de son père, trop vieux (il avait au moins soixante-cinq ans), ou de sa mère, trop jeune (elle n'avait pas seize ans) : une union où la différence d'âge était excessive, et donc mal vue de la société, mais que légitimaient cependant, en ce cas précis, les malheurs du père. Le mariage contracté dans sa jeunesse l'avait seulement pourvu de neuf filles ! Plus tard, une concubine lui avait bien donné un fils, qui s'appelait Ni, 尼 ; mais, infirme, celui-ci ne semblait pas apte à reprendre la tête de la lignée et du culte des ancêtres, une charge exclusivement masculine. Et c'est pourquoi le vieux Shuliang He, 叔梁紇, gouverneur d'une des villes de la principauté, s'était uni sur le tard à une adolescente, Mademoiselle Yan, 顏, qui, pour sa part, en acceptant, voulait surtout plaire à sa propre famille et l'honorer en faisant un beau mariage.

Lorsqu'il atteignit sa majorité qui se situait alors à quinze ans, l'enfant reçut aussi, conformément aux usages, un nom officiel marquant son entrée dans le monde des adultes : Zhong Ni, 仲尼. De prime abord, cela signifiait « Ni le puîné », ce qui ne pouvait surprendre puisque l'adolescent avait ce demi-frère qui, lui aussi, s'appelait Ni ; mais les amateurs de calembours pensaient immanquablement à un autre mot, qui se prononçait de la même manière et désignait, précisément, une colline où se forme un creux d'eau. Cela ne revêtait de toute façon aucune importance : bientôt le jeune homme, réputé pour son érudition, serait aux yeux de tous Kongzi, 孔子, ou Kongfuzi, 孔夫子, le « Maître [de la famille] Kong », dont son propre lignage constituait l'une des branches.

Revenons aux temps anciens de son enfance. Le petit Qiu avait à peine trois ans – selon la manière chinoise de compter l'âge – quand son père mourut. Madame Yan (les femmes chinoises conservent le nom de leur père, même lorsqu'elles sont mariées) l'éleva donc seule, dans un climat de tendresse et de douceur. Pour que son éducation fût bonne, elle avait quitté la maison provinciale de son mari et s'était installée en ville, dans la capitale de la principauté. Vivant dans ce cocon, Qiu connut apparemment une enfance heureuse ; mais – était-ce pour compenser la jeunesse de sa mère qui était presque une grande sœur ? – il semble avoir aussi développé un sens précoce de la dignité et des responsabilités. C'était un enfant calme, qui s'amusait à disposer des vases de bronze cérémoniels comme d'autres jouent à la dînette. Et, au lieu de mener des combats avec des sabres de bois, il s'appliquait à reproduire les rituels et les cérémonies officielles dont il se plaisait à observer attentivement le détail.

Madame Yan, pour sa part, faisait tout ce qui était en son pouvoir pour lui éviter les tristesses de la vie, ne voulant même pas lui parler de la tombe de son défunt mari, ce qui fut sans doute une erreur psychologique dont l'enfant souffrit. Mais la malheureuse était si jeune lorsqu'elle s'était retrouvée veuve qu'elle n'avait pas eu le courage de suivre le convoi funèbre – telle est du moins l'opinion souvent avancée. Elle ne sut donc jamais très précisément où l'on aménagea la sépulture, ce qui suggère aussi qu'elle ne prit pas part aux rites régulièrement pratiqués en l'honneur des défunts, ou encore qu'elle s'en trouva exclue, soit parce qu'elle était une femme, soit parce qu'elle ne chercha pas à s'en mêler. Ce bonheur sérieux dura jusqu'à la mort précoce de sa mère, lorsque Zhong Ni atteignait a peu près ses vingt ans : l'âge d'homme commençait.

Les cérémonies d'enterrement lui permirent de mettre en pratique, cette fois-ci pour de bon, son goût prononcé des rites. Il sut mener une enquête habile qui le conduisit à retrouver enfin la tombe de son père. Il put ainsi, malgré quelques difficultés, installer côte à côte – mais dans deux caveaux séparés, comme l'impose la bienséance – les dépouilles de ses parents. Tout était donc en ordre.

Le jeune Zhong Ni pouvait cependant encore passer pour un malappris, malgré ses bonnes manières et ses excellentes intentions : il se fit par exemple chasser d'un banquet auquel il se rendit en toute inconscience, alors que le deuil imposé par le décès de sa mère n'était pas terminé. La leçon le frappa comme une gifle : de ce jour, il se mit à affirmer haut et fort une humilité ostentatoire qui agaça, paraît-il, plus d'une fois ses interlocuteurs ; certains y virent même une forme particulièrement perfide d'orgueil, bien que Zhong Ni ait prétendu exprimer et respecter par là une tradition familiale de modestie.

Depuis qu'il était parvenu à l'âge d'homme, Zhong Ni développait une constitution d'athlète. Ceux qui avaient connu son père ne s'en étonnaient pas : le vieux Shuliang He dépassait déjà tout le monde d'une bonne tête, et sa force physique peu commune avait autrefois bien servi sa gloire militaire. Élevé dans les jupes de sa mère, Zhong Ni semblait beaucoup moins porté sur les exercices sportifs, mais quand un géant de ce genre disait ce qu'il jugeait convenable, il pouvait paraître prudent de lui obéir. C'est même peut-être ce qui explique à long terme comment Zhong Ni finit par asseoir sa réputation dans une société dominée par la violence alors qu'il s'efforçait, autant que possible, de se tirer de toutes les situations par la seule persuasion de son verbe. Il proclamait à qui voulait l'entendre qu'il ne souhaitait s'intéresser ni aux combats ni à l'organisation des armées ; d'aucuns font remarquer aussi que, tout en s'en tenant effectivement le plus souvent à ces sages principes, il ne dédaignait pas non plus l'appui de disciples riches, vigoureux et, pour leur part, bien armés.

Non seulement il était grand, mais il prenait des attitudes que ses détracteurs trouvaient volontiers cocasses : quand il accueillait un visiteur de marque, par exemple, il rougissait d'enthousiasme, saluait en pratiquant force courbettes puis étendait les bras comme des ailes et s'avançait aussi vite qu'il le pouvait. Si le prince le mandait en quelque lieu éloigné, il partait avant même que ses gens aient eu le temps de lui avancer sa voiture. Cela ne l'empêchait pas de se montrer volontiers pointilleux : si, par inadvertance, on lui servait de la viande ou du poisson douteux ou mal coupé, il refusait d'y goûter ; il refusait aussi de s'asseoir si la natte qu'on lui proposait n'était pas impeccablement disposée. En revanche, il montrait toujours beaucoup d'attention aux personnes qu'il rencontrait : il prenait garde à respecter leur deuil, si l'éventualité se présentait, et se rangeait systématiquement à l'avis du plus grand nombre, suivant en cela les enseignements des devins – des gens fort avisés qui ont toujours dit qu'en cas de doute, il faut choisir, parmi les diverses interprétations des oracles, celle qui rallie le plus de suffrages. Il aimait aussi beaucoup à chanter, lorsqu'il rencontrait quelqu'un qui avait une belle voix : dans un premier temps, il l'écoutait, puis il faisait chorus.

Zhong Ni n'était pas assez riche pour continuer de mener une vie oisive. Sa mère décédée, il lui fallait trouver un emploi et c'est ainsi qu'il commença d'exercer une fonction administrative. Il gérait des comptes – ceux d'une grande famille, le clan Ji, 季 ; d'autres disent ceux de la principauté de Lu. Il mesurait les grains qu'apportaient les fermiers et les métayers, tenait un compte précis des pieux auxquels on attachait les bœufs et les moutons, et s'occupait de prévoir et d'organiser la nourriture du bétail. Il semble avoir donné toute satisfaction, puisque le cheptel s'agrandit considérablement sous sa gestion. Entre-temps, un fils lui était né (532 ou 531) ; le duc de Lu, Zhou, 周, lui ayant envoyé une carpe pour fêter l'heureux événement, Zhong Ni nomma son fils Li, 鯉, « la carpe ».

Cependant, il ne suffit pas d'être un bon gestionnaire pour éviter la disgrâce ; un jour, Zhong Ni dut quitter son pays et n'y revint que plusieurs années après. Le jeune homme avait vieilli ; nul ne lui demandait plus de compter les moutons ; un dignitaire le choisit même pour l'accompagner à Luoyang afin de s'enquérir de la pratique correcte des cultes royaux. Zhong Ni reçut à cette occasion une voiture de fonction, à deux chevaux, et pourvue de l'indispensable cocher. Ce long voyage à la Cour royale fit définitivement de lui le spécialiste incontesté des rites et des comportements corrects. Il était à peine rentré au pays de Lu que tous les jeunes gens éduqués de la région se précipitaient à sa porte, sollicitant l'honneur de devenir ses disciples.

L'enseignement de la morale sociale, cependant, ne fait pas bon ménage avec la violence. Par crainte, par dégoût ou pour rester fidèle à lui-même, Zhong Ni quitta de nouveau son pays en 517, n'y trouvant plus ni la paix ni la sérénité indispensables à l'exercice d'un bon gouvernement. En effet, à la suite d'un combat de coqs qui avait mal tourné, tant pour les volatiles que pour leurs propriétaires, deux seigneurs et le duc Zhao, 昭, lui-même se livrèrent des batailles rangées que le duc finit par perdre, ce qui le contraignit à se réfugier dans la principauté voisine, le pays de Qi, 齊. Zhong Ni suivit son duc, et les gens de Qi admirèrent son savoir, particulièrement en matière de musique : il semble que, par manière de réciprocité, la beauté – et les effets bénéfiques – de la musique du Qi se soient si fort manifestés que Zhong Ni, aux anges, en perdit le goût de la bonne chère, ce qui signifie au passage qu'en temps normal, il aimait bien manger.

De jour en jour, les propos de Zhong Ni charmaient tant le duc de Qi que le sage du Lu faillit bien y gagner une fonction. Mais les envieux veillaient ; ils moquèrent habilement le philosophe, faisant des gorges chaudes de sa capacité à compliquer les choses simples, si bien que le duc de Qi finit, avec beaucoup d'honneurs et de respect, par lui signifier qu'il ne saurait rien lui offrir. Et Kongzi, 孔子, (c'est ainsi que l'appelaient désormais ses élèves), dépité, revint au pays de Lu.

La vie reprit son cours. Lorsque Kongzi eut quarante-deux ans, le duc Zhao, du Lu, mourut (510). Le duc Ding, 定, lui succéda. Tout ce que le Lu comptait de bonnes familles grenouillait plus que jamais pour obtenir des charges. Kongzi n'avait aucune chance de gagner dans ce monde d'intrigues violentes, sauf à perdre son âme. Il se replia donc dans son refuge, l'enseignement : les disciples affluaient chez lui, plus nombreux que jamais, et nombre d'entre eux venaient des principautés extérieures, parfois très éloignées. Kongzi suivit ainsi la voie que le Ciel lui montrait ; c'est alors qu'il lança son travail philologique, tentant de mettre de l'ordre dans les textes hérités de l'Antiquité ; ce fut à ce moment-là, dit-on, qu'il classa les airs et les odes du célèbre *Livre des odes*.

Cette saine retraite avait du bon ; le duc Ding, lassé des intrigues incessantes dans son entourage, finit par reconnaître, contre toute attente, la supériorité de Kongzi. Ce dernier, selon la tradition, reçut alors les plus hautes charges qu'il lui fut jamais donné d'exercer : d'abord gouverneur de Zhongdu, 中都, (une ville du Shandong), puis assistant du ministre des Travaux publics, et enfin ministre de la Justice. En 496, Kongzi, qui avait alors cinquante-six ans, quitta la Justice pour accepter le rôle de conseiller, ce qui était une façon de l'associer encore plus étroitement au gouvernement.

Mais la sagesse ne s'accommode sans doute pas facilement d'une telle proximité du soleil : horrifié par la conduite du duc – qu'il jugeait complètement débauché et soumis aux femmes de perdition – Kongzi démissionna, s'en alla et finit par gagner l'État de Wei. Son duc avait commis une faute aux yeux du sage impardonnable : tout occupé avec des musiciennes, il avait non seulement négligé les affaires de la principauté, mais aussi oublié de faire porter aux ministres, chargés de pratiquer les rites sur les autels autour de la capitale, la viande des sacrifices qu'eux-mêmes et leurs familles consommaient traditionnellement ; en clair, le duc oubliait de payer ses fonctionnaires du Bureau des Rites !

Commença alors une longue période d'errance, d'allers et retours incessants, du Wei, 衛, au Chen, 陳, au Zheng, 鄭, au Song, 宋, au Cai, 蔡, et même au Chu, 楚 : en un mot à travers tout ce que la grande Plaine centrale comptait de ces petits États qui avaient depuis longtemps développé leur vie propre, ne gardant aux souverains Zhou qu'un respect de nature purement morale. La vie politique, elle, tendait à se réduire aux combats quotidiens pour la suprématie d'une région sur ses voisines. Chaque Cour régionale tentait d'attirer des talents en espérant y gagner des recettes : c'était à qui inventerait le meilleur système pour faire travailler le peuple et les meilleures tactiques pour surprendre et supplanter ses ennemis.

Ces pérégrinations comportaient d'indéniables dangers. Un jour (en 489), les dirigeants des États de Chen et de Cai se rapprochèrent : ils avaient entendu dire que l'État de Chu voulait s'attacher les services de Kongzi en lui offrant un bon poste, ce que le Cai et le Chen redoutaient pour leur propre sécurité. L'action ne se fit pas attendre : Kongzi et ses disciples se trouvèrent bloqués en rase campagne par les troupes du Cai et du Chen qui leur interdirent tout ravitaillement, comptant réduire Kongzi et les siens par épuisement et inanition. Mais Zigong, 子貢, un disciple très proche du maître, réussit à passer les lignes des brigands ; il courut prévenir les gens du Chu qui arrivèrent à la rescousse. À peine parvenus au Chu, Kongzi et ses amis reprirent cependant la route : le duc du Chu avait voulu donner au maître un immense domaine, ce qui ne pouvait que déplaire aux vassaux. Kongzi comprit qu'il valait mieux fuir de toute urgence.

Ainsi le schéma se répétait. Kongzi semble avoir toujours, dans un premier temps, fait forte impression, puis avoir lassé ses auditeurs qu'ennuyaient ses discours sur l'équilibre et la nécessaire obéissance.

Sa venue, de plus, ne suscitait pas toujours l'enthousiasme escompté. Sans doute sa haute stature lui donnait-elle parfois l'aspect d'un homme sévère que l'on devait redouter, voire d'un tyran. Des paysans le prirent pour tel, alors qu'il se rendait du Wei au Chen et le retinrent prisonnier pendant cinq jours. Il fallut que le seigneur du Wei – Kongzi venait de lui reprocher d'être un jouet aux mains des femmes ! – vienne à son secours. Et Kongzi s'enfuit piteusement.

Une autre fois, alors qu'il se rendait du Cao au Song, Kongzi s'arrêta sous un grand arbre pour montrer aux curieux qui s'étaient assemblés comment pratiquer tel et tel rituel. Quelle ne fut pas la surprise des disciples lorsqu'ils s'aperçurent qu'un personnage, aidé de plusieurs sbires, était en train de scier l'arbre pour le faire tomber sur Kongzi. Ils n'eurent que le temps de tirer le sage, tandis que les frondaisons s'écrasaient dans un grand fracas. Kongzi, lui, ne s'étonnait de rien, disant que sa grande vertu le protégeait de tout – une pleine confiance en soi qui n'était certes pas propre à calmer l'antipathie de ses détracteurs !

Ceux-ci, parfois, ne se gênaient nullement pour exprimer le peu d'importance qu'ils accordaient à ses dires. Un jour, alors qu'il se rendait du Chen au Cai, Zilu, 子路 – un autre disciple très aimé – s'approcha d'un groupe de paysans occupés à labourer. Il voulait leur demander où se trouvait le bac pour passer le fleuve. Les paysans ricanèrent, déclarant que ce n'était pas l'enseignement du sage qui allait empêcher les eaux de déborder, que nul n'avait envie de l'écouter, ici ou ailleurs, et que Zilu ferait mieux de le planter là, sans plus s'occuper de l'aider à traverser.

Kongzi finit par renoncer à exercer une influence directe sur son temps ; il le changerait autrement, en écrivant l'histoire ! Du simple énoncé des faits au fil « des printemps et des automnes », c'est-à-dire des années, il naîtrait sans doute un véritable enseignement du passé, à travers l'engrenage des mauvaises conduites et des catastrophes qui en résultent. En même temps, les comportements vertueux constitueront autant d'exemples pour le temps présent. Le philosophe ne pouvait agir qu'en échappant au temps vécu, en redonnant vie à celui des générations antérieures. En 484, Kongzi revint dans son pays, l'État de Lu, et ne le quitta plus. Il devint alors le sage philosophe et non violent que la tradition devait retenir.

Il n'en n'avait pas toujours été ainsi. Cette même vertu avait à l'occasion armé son bras, pourvu que la violence s'exerçât alors dans un cadre officiel et réputé légal – c'est du moins ce que voulurent faire croire les légistes au IIIᵉ siècle avant J.-C. Un grand officier du Lu en fit un jour (496) l'amère expérience : Kongzi, nouvellement nommé conseiller du prince, à l'époque, le fit décapiter au motif que le malheureux réunissait en lui cinq défauts très graves dont les effets jetaient le plus grand désordre dans le pays. Ce n'était pas la première condamnation capitale lancée par Kongzi.

La première fois, ce fut ce qu'il considérait comme un manquement aux rites qui provoqua sa fureur. La scène se passait lors d'une entrevue solennelle entre le duc du Lu et le duc du Qi. Quelqu'un proposa de faire de la musique ; mais, à la grande surprise des gens du Lu, la troupe du Qi arriva, comptant dans ses rangs des acrobates et des nains habiles à faire des cabrioles. Kongzi cria qu'on tournait en ridicule le caractère sacré de la musique et que ces agitations, à ses yeux simiesques, étaient indécentes. Non seulement il s'arrangea pour qu'on mette à mort les nains, mais il semble bien qu'il ait demandé aussi que leurs pieds et leurs mains soient coupés et dispersés, comme le sont les quartiers de viande animale dans certains sacrifices. Le pire aux yeux de la postérité est peut-être que le triomphe du philosophe fut complet. En effet, le duc de Qi, devant cette violence imprévue, prit peur et décida de rendre aux gens du Lu un vaste ensemble de champs sur lesquels il avait indûment installé ses paysans. Le pouvoir du verbe trouvait ici ses limites et la force reprenait ses droits.

Il faut dire – mais est-ce une excuse ? – que Kongzi développait pour la musique, depuis son plus jeune âge, une passion jalouse qui ne souffrait aucune médiocrité, aucun obstacle. Lui-même jouait du lithophone et de divers instruments à cordes dont il apprit les subtilités auprès d'un maître, Xiangzi, 襄子. Ce dernier – après avoir exprimé un certain agacement à l'entendre répéter inlassablement le même morceau – finit par comprendre et se prosterner devant son élève ; celui-ci venait de retrouver et de faire surgir, à travers ses interprétations, l'extraordinaire personnalité du roi Wen, 文, le souverain des Zhou vertueux entre tous dont le regard, ainsi que le dit Sima Qian, est « semblable á celui d'un mouton qui regarde au loin ».

Kongzi connaissait le cœur des hommes de son temps, mais il ne prétendit jamais comprendre l'incompréhensible – la transcendance. Et même en ce monde, deux types de créatures l'intriguaient également : les animaux et les femmes.

Que les animaux puissent échapper au contrôle de l'homme l'agaçait. De plus, il ne disposait d'aucun élément tangible pour décider quels animaux – dont il avait entendu parler, mais qu'il n'avait jamais vus – relevaient de la réalité ou du mythe ; d'ailleurs, ces derniers l'intéressaient particulièrement. Il célébrait la capacité des dragons à se transformer, et l'on dit même qu'un jour il pleura alors qu'on évoquait devant lui la blessure d'une licorne. Et, comme toujours, il s'efforçait de mettre un nom sur chacune des créatures : ses élèves se souvinrent longtemps qu'il leur
faisait étudier tous les termes désignant des animaux dans le *Livre des odes*.

La grande sagesse du maître tenait beaucoup à son immense culture littéraire qui lui permettait de donner des références, de trouver des précédents rien qu'en entendant la description qu'on lui faisait d'une chose ou d'un être curieux. Son goût pour la démonologie le rendait ainsi incollable sur les créatures hors normes : de celles qui manifestent encore plus que les autres cette loi de la nature qui fascinait tant les hommes de l'Antiquité – la nécessité de la métamorphose d'où jaillissent non des monstres au sens d'aujourd'hui, mais de nouvelles formes de vie. Et, donnant un nom aux êtres, « rectifiant leur nom » (*zhengming*, 正名), Confucius créait autour de lui un monde en ordre, maîtrisé.

Quant aux rapports qu'il aurait pu développer personnellement avec un animal, il faut bien reconnaître que personne de son temps n'en a vraiment parlé. Il faut attendre que passent à peu près deux cents ans pour que surgisse tout à coup l'histoire de Confucius et de son chien dont la principale caractéristique, en l'occurrence, fut de mourir. Cette circonstance semble avoir plongé le Maître dans la perplexité, se demandant quel rituel d'inhumation il devait suivre pour, tout à la fois, respecter les rites et une tradition d'honneurs funèbres accordés aux chiens et aux chevaux, et cela sans verser dans un déploiement pompeux et inapproprié. Le tout apparaît surtout comme un prétexte qui lui aurait permis d'exprimer combien l'excès en tout – y compris l'excès de somptuosité accordé à la sépulture des hommes – est condamnable ; l'histoire du chien serait ainsi à verser au riche fonds d'exemples illustrant son goût de l'équité qui est d'abord un équilibre.

Restent les femmes. Kongzi idolâtrait sa mère, mais se méfiait d'elles. Il faut dire que ces dernières servaient régulièrement d'appâts auprès de chefs de principautés aussi forts en paroles que pusillanimes et vulgairement jouisseurs dans leur conduite. C'était par exemple une manœuvre habituelle des gens du pays de Qi : lorsqu'ils craignaient la puissance conquérante du Lu, ils envoyaient à son duc plusieurs dizaines de chanteuses et de danseuses somptueusement vêtues, ainsi que de très beaux chevaux. Le stratagème réussissait presque toujours : le duc abandonnait toute idée politique, passant ses journées à caresser femmes et coursiers. Kongzi en conclut que les femmes étaient des germes de mort et de ruine. Même les belles dames, couvertes de jade et se donnant beaucoup de mal pour respecter les rites et les convenances, font oublier à leurs époux l'amour de la vertu ! C'est sans doute pourquoi on ne parle jamais de la jeune fille épousée quand le Maître avait vingt-quatre ans, mais seulement du fils qu'elle donna à son auguste mari, et l'on oublie bien souvent la ou les deux filles qu'elle mit au monde aussi. Il est vrai que Kongzi, en son rôle de père, est plutôt à plaindre : il eut le malheur de voir son fils tant aimé emporté à la cinquantaine, ce dont le philosophe ne se consola jamais.

Lorsque Confucius mourut à son tour (479), on dit que chacun de ses disciples s'en fut dans son pays chercher un arbre pour couvrir le tumulus. Ces hommes venaient d'endroits si divers que, sur la centaine d'arbres plantés, il n'y en eut pas deux de la même espèce. Nombreux furent les anciens élèves qui s'établirent là, bien au-delà du deuil rituel de trois années. Puisqu'il y avait plus de cent arbres de cent espèces différentes, il y eut aussi bientôt plus de cent maisons – sans compter la hutte que Zigong, 子貢, s'était aménagée sur le tumulus même, où il passa en tout six ans, dans le plus grand dénuement, à pleurer son guide. Ainsi naquit le « hameau de Kong » où l'empereur Gao, 高, des Han fit offrir un sacrifice à trois grands animaux (un bœuf, un mouton, un porc). Depuis, tout préfet de la région prenant son poste se doit de respecter ce rituel, avant même d'effectuer son premier acte d'administration.

Bibliographie

CHAVANNES, Édouard, *Les Mémoires historiques de Se-ma Ts'ien traduits et annotés*, Paris, Adrien-Maisonneuve, 1967.

CHENG, Anne, *Histoire de la pensée chinoise*, Paris, Seuil, 1997.

– *Entretiens de Confucius*, Paris, Seuil, 1981.

– « Lunyu ». Dans Mickael Loewe (ed.), *Early Chinese Texts. A Bibliographical Guide*, Berkeley, CA, The Society for the study of Early China, 1993, p. 313-323.

ELISSEEFF, Danielle, « Le chien de Confucius ». Dans Liliane Bodson (éd.), *La sépulture des animaux : concepts, usages et pratiques à travers le temps et l'espace. Contribution à l'étude de l'animalité*, Liège; Université de Liège, 2001, p. 77-93.

GOOSSAERT, Vincent, *Dans les temples de la Chine. Histoire des cultes. Vie des communautés*, Paris, Albin Michel, 2000.

JULLIEN, François, *Traité de l'efficacité*, Paris, Grasset, 1996.

LEVI, Jean, *Confucius*, Paris, Pygmalion Gérard Watelet, 2002.

NYLAN, Michael, « Sima Qian: A True Historian ? ». *Early China*, 23-24, 1998-1999, p. 203-246.

STERCKX, Roel, *The Animal and the Daemon in Early China*, Albany, NY, The University of New York Press, 2002.

TAYLOR, Rodney L., « The Religious Character of the Confucian Tradition », *Philosophy East and West*, 48, 1, 1998, p. 80-107.

VENTURE, Olivier, « Nouvelles sources pour l'histoire de la Chine ancienne. Les publications de manuscrits depuis 1972 », *Revue bibliographique de Sinologie/Review of Bibliography in Sinology*, 1999, p. 285-298.

YU Jiyuan, « Virtue: Confucius and Aristotle », *Philosophy East and West*, 48, 2, 1998, p. 323-347.

Bienséances et convenances
sous les Han

Du FOISONNEMENT DES ÉCOLES de pensée qui éclôt à l'époque des Royaumes combattants, se sont peu à peu dégagés les deux grands courants de la pensée chinoise a priori antinomiques mais au fond complémentaires, le confucianisme et le taoïsme (le bouddhisme, qui la complète, est d'origine étrangère et vient plus tard). Le premier est idéaliste, raisonnable, ordonné et moralisateur. Il est représenté par l'école des lettrés et se réclame de Confucius. Le second est anarchique, libertaire et mystique. Il vénère Huangdi, 黃帝, le mythique empereur jaune, et Laozi, 老子 qui aurait sur sa demande rédigé le *Daodejing*, 道德經, *Le Livre de la Voie et de la Vertu*, un ouvrage qui inter- prète l'univers comme en perpétuel devenir, mû par le souffle-énergie *qi*, 氣, responsable de l'interaction harmo- nieuse du *yin*, 陰 et du *yang*, 陽. Avec le premier empereur puis au début de l'époque des Han antérieurs, les lettrés furent mis au ban de la société mais la nécessité se fit tôt sentir, afin d'asseoir l'empire sur des bases solides, d'avoir recours à une orthodoxie officielle, à un rituel impérial. C'est ainsi que le confucianisme fut mis au service de l'État, en partie grâce à Dong Zhongshu, 董仲舒, qui, au IIe siècle avant notre ère, sut mêler en un docte syncrétisme cet enseignement et celui de l'École du yin et du yang avec sa théorie des correspondances. Les écrits confucéens, dis- persés, malmenés par les aléas de l'histoire, sont enfin établis dans la leçon qui est dès lors considérée comme défini- tive par le grand lettré Cai Yong, 蔡邕, en 175. Commanditée par l'empereur Ling Di (168-189), cette œuvre gigan- tesque en quelque deux cent mille caractères, qui porte le nom de l'ère Xiping qui l'a vu naître, *Xiping shijing*, 熹平石經, est gravée sur les deux faces de quarante-six stèles de pierre érigées dans la bibliothèque de l'École impé- riale de la capitale de l'époque, Luoyang. Le sac de la ville peu après et le temps se sont chargés de détruire la quasi- totalité de ces livres de pierre (cat. 28), mais l'expérience sera réitérée à six reprises, la dernière entre 1791 et 1794 sous l'empereur Qianlong. Comme si, en dépit des versions sur papier, dont la plus ancienne qui nous ait été conser- vée est celle des Commentaires des Quatre livres par Zhuxi, 朱熹, (1130-1200), de l'époque Yuan (cat. 29), la stèle de pierre était restée à jamais le plus noble support que l'on puisse imaginer pour des écrits qui ne devaient pas périr. C'est aussi, semble-t-il, la très ancienne et très subtile alliance entre le caractère et le bronze qui a sans doute incité à reproduire sur un miroir des environs du Xe siècle, non seulement le personnage de Confucius mais aussi le résumé en neuf caractères de la rencontre entre le Maître et l'ermite Yong Qiqi, une anecdote célèbre racontée dans le *Liezi*, 列子, un des trois plus importants ouvrages du taoïsme, attribué à l'auteur éponyme qui vivait à l'époque des Han antérieurs.

Les très nombreuses dalles funéraires que l'on plaçait dans les tombes ne sont pas simplement le reflet de la piété filiale qui s'exerce naturellement à l'égard des parents mais, par le choix des thèmes traités – vie sociale, narrations historiques à portée didactique, scènes de divertissements –, elles témoignent de la pluralité des champs d'expression de l'exercice de la piété filiale. Il est clair en effet que ses effets régulateurs et facteurs d'harmonie, répliqués à l'extérieur de ce microcosme du monde que représente la maison familiale, fondent l'équilibre des relations entre les hommes, entre les sujets et leur prince, entre le ciel et la terre, œuvrant ainsi à la bonne marche de l'univers. Les dalles gravées (cat. 22, 24-25) illustrent toutes trois la notion du gouvernement idéal du prince confucéen. Elles le représentent recevant dans sa résidence l'hommage de ses sujets venus de leur plein gré saluer celui dont l'autorité s'exerce sans violence. Des animaux de bon augure gambadent sur les toits et des arbres merveilleux flanquent les

tours de guet de la résidence en promesse de paix et de richesse pour le peuple. Les voitures attelées évoquent le grand nombre et la qualité des visiteurs, lesquels précisément, ainsi que l'avoue Confucius lui-même (*Lunyu*, XI, 7), ne sauraient se déplacer à pied. Les invités, du reste, ne viennent pas uniquement rendre hommage mais sont aussi conviés à des banquets (cat. 23). Confucius n'a-t-il pas dit, en effet (*Lunyu*, XVI, 5), qu'il est profitable de prendre plaisir à la belle ordonnance des rites et de la musique ainsi qu'à la nombreuse compagnie d'amis de valeur ?

Ce retour des lettrés dans le cercle du pouvoir est d'une certaine manière entériné par la rédaction de la première biographie « scientifique » consacrée au Maître et que l'on doit à Sima Qian (vers 145-vers 87) le grand historien. Celui-ci n'a pas manqué de rapporter l'anecdote, alors déjà bien ancrée dans l'imagination populaire, de la rencontre du Maître avec le père du taoïsme (cat. 26). Du reste, les croyances taoïstes, dont celles qui concernent l'existence d'êtres parfaits ayant su acquérir l'immortalité, voisinent sans heurt dans les tombes – et dans les esprits – avec les images confucéennes les plus austères (cat. 27). En dépit de nombreuses vicissitudes qui, de façon récurrente, font mépriser les lettrés puis de nouveau les appeler au service de l'État, le confucianisme renaît constamment de ses cendres et finit par évoluer vers une forme religieuse (p. 152-157) qui se manifeste entre autres par la réalisation de gravures sur pierre retraçant en images les épisodes de la vie du maître, *Kongzi shengji tu*, 孔子聖蹟圖. Nourries par la légende, ces illustrations seront ensuite estampées et xylographiées, contribuant à la diffusion de ce livre hagiographique dont le thème séduira aussi les graveurs occidentaux au XVIIIᵉ siècle.　　　　　　　　　　**C. D.**

22 | Dalle gravée représentant une demeure
patricienne à deux tours de guet et ses
occupants
Pierre
Époque des Han postérieurs (25-220)
Provient du district de Li au Shandong
H. 77 cm ; L. 165 cm ; ép. 18 cm
Jinan, musée provincial du Shandong

23 **Dalle gravée représentant une scène de divertissement dans une demeure patricienne**

Pierre
Époque des Han postérieurs (25-220)
Provient de Chine du Nord
H. 88 cm ; L. 119 cm
Zurich, musée Rietberg, RCH 104

24 Dalle gravée représentant une demeure patricienne à tours de guet et ses occupants

Pierre

Époque des Han postérieurs, Ier-IIe siècle

Provient de Chine du Nord

H. 72 cm ; L. 152 cm

Berlin, musée Dalhem, I.D. 27097

25 Dalle gravée représentant une demeure
patricienne et ses occupants

Pierre

Époque des Han postérieurs, IIᵉ siècle

Provient de Chine du Nord

H. 64 cm ; L. 86 cm

Paris MNAA-Guimet, AA 193

26 Dalle gravée fragmentaire représentant Confucius (à gauche) offrant un oiseau en cadeau à Laozi (à droite).
Au centre un enfant nommé Xiangtuo questionne le maître

Pierre

Époque des Han postérieurs

Provient du district de Jiaxiang au Shandong

H. 73 cm ; L. 95 ; ép. 29 cm

Jinan, musée provincial du Shandong

**Dalle gravée fragmentaire représentant
des immortels et animaux mythiques évoluant
parmi les nuages du souffle *qi***

Époque des Han postérieurs, IIe-IIIe siècle
Provient du Shandong ou du Henan
H. 84 cm ; L. 66 cm
Paris, MNAA-Guimet, MA 77

28 | Cinq fragments de stèles en pierre gravées portant le texte du *Xiping shijing* ou *Livre des classiques sur pierre de l'ère Xiping* commencé en l'an 4 (175) et terminé huit ans plus tard en 183

Sept ouvrages ont été colligés par Cai Zong puis reproduits sur pierre par plusieurs maîtres d'œuvre. Ce sont *Le Livre des mutations, Yijing* ; *Le Livre des odes, Shijing* ; *Le Livre des documents, Shujing* ; *Le Livre des rites, Yili* ; le *Commentaire des Printemps et Automnes de Gongyang, Chunqiu Gongyang zhuan* ; et enfin *Les Entretiens, Lunyu*

Actuellement conservés à Jinan, musée provincial du Shandong

29 | Commentaire des Quatre Livres, *La Grande Étude, Le Juste Milieu, Les Entretiens* et le *Mengzi* par Zhuxi (1130-1200)

Découverts en 1971 dans la tombe de Zhu Tan, roi de Lu à l'époque Ming (1368-1644). Ce sont actuellement les plus anciens exemplaires sur papier qui ont été exhumés

Chaque livre : H. 24,5 cm, l. 15,6 cm

Jinan, musée provincial du Shandong.

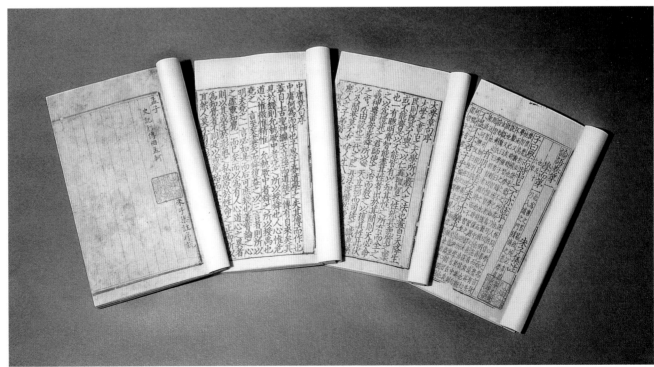

Anne Cheng

Confucius, philosophe

Le « cas » Confucius

Confucius Sinarum philosophus : ainsi s'intitule la toute première traduction en une langue européenne (en l'occurrence le latin), achevée en 1687 sous la direction du jésuite Philippe Couplet (1622-1693), d'un ensemble de textes considérés en Chine depuis le xiie siècle comme fondateurs de l'enseignement confucéen, à commencer par *Les Entretiens* (en chinois *Lunyu*, 論語) de Confucius (forme latinisée de l'appellation chinoise Kongfuzi, 孔夫子, « Maître Kong »). Cette publication connut dans l'Europe de la fin du xviie siècle un retentissement considérable puisqu'elle fut à son tour traduite en français en 1688, puis en anglais en 1691. D'entrée de jeu, Confucius était donc présenté comme un « philosophe » dont la pensée pratique allait être une source d'inspiration pour d'autres « amateurs de sagesse », ceux des Lumières, mais cette image devait rester gravée dans les esprits pour longtemps et entretenir bon nombre de poncifs et d'équivoques encore communément répandus aujourd'hui.

Si la figure de Confucius semble constituer à elle seule un phénomène culturel qui se confond avec le destin de toute la civilisation chinoise, le personnage qui apparaît en filigrane dans *Les Entretiens* reste au fond énigmatique et paradoxal : à la différence de ses contemporains comme le Bouddha ou les présocratiques, ce n'est ni un philosophe à l'origine d'un système de pensée, ni le fondateur d'une spiritualité ou d'une religion. De prime abord, sa pensée apparaît plutôt terre à terre, son enseignement fait de truismes, et lui-même n'était pas loin de considérer sa propre vie comme un échec. À quoi tient, se demandera-t-on à juste titre, la stature exceptionnelle qu'il a prise au cours de l'histoire ? D'aucuns n'hésiteront pas à y voir le seul effet du hasard, notamment celui qui, lors de l'instauration de l'empire centralisé au iie siècle avant l'ère chrétienne, le plaça sur un piédestal dont il ne devait plus redescendre. Cependant, même en admettant que le succès de Confucius soit dû à la coïncidence de sa vision sociopolitique avec les besoins idéologiques du nouvel ordre impérial, il y faut peut-être un peu plus pour expliquer la pérennité de son enseignement qui a tout de même inspiré des générations de Chinois pendant deux mille cinq cents ans et ne peut pas encore être considéré comme définitivement mort et enterré à l'heure actuelle.

L'apprendre

De quoi est-il question, au juste, dans *Les Entretiens*, compilés vraisemblablement à partir de notes de disciples et d'arrière-disciples ? Dans ces bribes de conversations à bâtons rompus où se fait entendre pour la première fois dans l'histoire chinoise la voix de quelqu'un qui parle en son propre nom, à la première personne, il est impossible d'entrevoir ni de système, ni même de sujets ou de thèmes traités de façon développée, et pourtant s'en dégage l'impression distincte que Confucius a voulu faire passer un message bien précis. Il y est question, au fond, de la façon dont on devient un être humain à part entière. Il y a là un livre plein de vie, voire un livre de vie, dont le Maître nous livre les grandes étapes :

> « À quinze ans, je résolus d'apprendre. À trente ans, j'étais debout dans la Voie. À quarante ans, je n'éprouvais plus aucun doute. À cinquante ans, je connaissais le décret du Ciel. À soixante ans, j'avais une oreille parfaitement accordée. À soixante-dix ans, j'agissais selon mon cœur, sans pour autant transgresser aucune règle » (II, 4).

Confucius fut avant tout un maître, et toute sa pensée tient dans son enseignement. Au commencement, il y a « l'apprendre », dont la place centrale qu'il occupe chez Confucius correspond à sa conviction intime que la nature humaine est éminemment perfectible : l'homme – tout homme – se définit comme un être capable de s'améliorer, de se perfectionner à l'infini. Pour la première fois dans une culture aristocratique fortement structurée en castes et en clans, l'être humain est pris dans son entier. On peut dès lors parler d'un optimisme foncier et d'un pari universel sur l'homme, même si Confucius ne va pas jusqu'à affirmer explicitement, comme le fera plus tard Mencius, que la nature humaine est bonne.

« L'apprendre », c'est le sujet de la toute première phrase des *Entretiens* :

> « Apprendre pour pouvoir le vivre à tout moment, n'est-ce pas là source de grand plaisir ? Recevoir un ami qui vient de loin, n'est-ce pas la plus grande joie ? Être méconnu des hommes sans en prendre ombrage, n'est-ce pas le fait de l'homme de bien ? » (I, 1).

Confucius ne commence pas par un quelconque endoctrinement, mais par la résolution d'apprendre prise par l'être humain qui s'engage sur le chemin de l'existence. Il ne s'agit pas tant d'une démarche intellectuelle que d'une expérience de vie. En fait, il n'y a pas de coupure entre les deux, entre la vie de l'esprit et celle du corps, entre théorie et pratique, le processus de pensée et de connaissance engageant la totalité de la personne. L'apprendre est une expérience qui se pratique, qui se partage avec autrui et qui est source de joie, en elle-même et pour elle-même.

L'éducation selon Confucius ne saurait donc être purement livresque. Certes, son enseignement fait la part belle à l'étude des textes anciens, mais ce qui compte n'est pas tant une connaissance d'ordre théorique qui vaut en elle-même et pour elle-même, que sa visée concrète et pratique. L'important est donc de « savoir comment » plutôt que de « savoir que », la connaissance consistant davantage dans le développement d'une aptitude que dans l'acquisition d'un contenu intellectuel :

> « Le Maître dit : Tu peux, dis-tu, réciter par cœur les trois cents Odes ? Mais imagine que, engagé dans une fonction, tu ne sois pas à la hauteur ou que, envoyé en mission à l'étranger, tu ne saches pas répondre de ton propre chef : que te servira toute ta littérature ? » (XIII, 5).

La visée pratique de l'éducation est de former un homme capable, sur le plan politique, de servir la communauté et, en même temps, sur le plan moral, de devenir un « homme de bien », les deux plans n'en faisant qu'un puisque servir son prince s'assimile à servir son père. À une époque où l'éducation constitue le privilège d'une élite, Confucius affirme qu'un tel privilège doit être apprécié à sa juste valeur et assorti d'un sens des responsabilités. Loin de vouloir bouleverser l'ordre hiérarchique – par exemple en prônant l'éducation comme moyen d'ascension sociale, même si cela devait devenir un processus inévitable tout au long de la période pré-impériale,

Confucius le cautionne au contraire, mais en lui insufflant un sens moral : la responsabilité des membres de l'élite éduquée est précisément de gouverner les autres pour leur plus grand bien. C'est ainsi que s'esquisse, d'entrée de jeu, le destin « politique » (au sens large) de l'homme éduqué qui, au lieu de se tenir en retrait pour mieux remplir un rôle de conscience critique, se sent au contraire la responsabilité de s'engager dans le processus d'harmonisation de la communauté humaine.

Un terme très fréquent dans *Les Entretiens* est celui de *junzi*, 君子 (litt. « fils de seigneur »), qui désigne généralement dans les textes anciens tout membre de la haute noblesse mais qui, dans le langage de Confucius, prend une valeur nouvelle, la « qualité » de l'homme noble n'étant plus déterminée exclusivement par sa naissance, mais dépendant aussi et surtout de sa valeur comme être humain accompli. L'élévation n'est plus tant celle de la naissance et du rang social que celle de la valeur morale. Le *junzi* est donc « l'homme de qualité » ou « l'homme de bien », par opposition à « l'homme petit » au sens moral, ou « l'homme de peu ».

La grande affaire de « l'apprendre » est donc de devenir « homme de bien ». En d'autres termes, empruntés à un grand penseur confucéen du XIᵉ siècle, « apprendre, c'est apprendre à faire de soi un être humain ». On ne saurait mieux dire qu'être humain, cela s'apprend et cela constitue une fin en soi. C'est même la valeur suprême, il n'en est pas de plus haute. Comme tous les penseurs chinois, Confucius part d'un constat fort simple et à la portée de tous : notre « humanité » n'est pas un donné, elle se construit et se tisse dans les échanges entre les êtres et la recherche d'une harmonie commune. Toute l'histoire humaine ainsi que notre expérience individuelle sont là pour nous confronter à l'évidence qu'humains, nous ne le sommes jamais assez et que nous n'en finirons jamais de le devenir davantage.

Le sens de l'humain *(ren)*

Une fois encore, on a ici affaire à un terme qui se trouve déjà dans les textes anciens (où il évoque le plus souvent la superbe ou la magnanimité d'un grand personnage) mais auquel Confucius donne un sens et un contenu nouveaux. On peut dire que le *ren*, 仁, c'est la grande idée neuve de Confucius, la cristallisation de son pari sur l'homme. Le caractère *ren* est composé du radical « homme » et du signe « deux » : on peut y voir l'homme qui ne devient humain que dans sa relation à autrui. Dans le champ relationnel ouvert par la graphie même de ce terme, le moi ne saurait se concevoir comme une entité isolée des autres, retirée dans son intériorité, mais bien plutôt comme un point de convergence d'échanges interpersonnels. Un grand exégète définit le *ren* comme « le souci qu'ont les hommes les uns pour les autres du fait qu'ils vivent ensemble ».

Le *ren* que l'on pourra traduire, faute de mieux, par « qualité humaine » ou « sens de l'humain », semble être une valeur que Confucius place très haut, tellement haut qu'il ne la reconnaît pratiquement à personne (et surtout pas à lui-même) si ce n'est, à la rigueur, aux saints mythiques de l'Antiquité. Et en même temps, il la dit toute proche : « Le *ren* est-il vraiment inaccessible ? Désire-le avec ferveur, et le voici en toi » (VII, 29).

Le *ren* ne définit pas un idéal figé et stéréotypé de perfection auquel il faudrait se conformer, procédant plutôt d'une nécessité interne, d'un ordre intrinsèque des choses dans lequel il s'agit de se replacer. Il s'agit moins d'un idéal à réaliser que d'un pôle vers lequel tendre à l'infini. Bien que Confucius en parle constamment, il se refuse à en donner une définition explicite et, de ce fait, limitative. Aux questions de ses disciples, il répond par touches successives et, comme tout bon maître, en fonction de l'interlocuteur qu'il a en face de lui. Au disciple Fan Chi, il répond : « Le *ren*, c'est aimer les autres » (XII, 22). On a souvent voulu voir dans cette phrase, surtout depuis le temps des missionnaires, un rapprochement possible avec l'*agapè* des chrétiens, en oubliant que, loin de faire référence à une source divine, l'amour dont parle Confucius est tout ce qu'il y a de plus humain, enraciné qu'il est dans sa dimension affective et émotionnelle et dans une relation de réciprocité. À ses disciples qui lui demandent s'il est un mot qui puisse guider l'action toute une vie durant, le Maître répond : « Mansuétude (*shu*), n'est-ce pas le maître mot ? Ce que tu ne voudrais pas que l'on te fasse, ne l'inflige pas aux autres » (XV, 23).

Le mot *shu*, 恕, dont la graphie (le cœur surmonté d'un graphème établissant une équivalence entre deux termes) introduit une relation analogique entre les cœurs, se comprend comme le fait de considérer autrui tel que l'on se considère soi-même :

> « Pratiquer le *ren*, c'est commencer par soi-même : vouloir établir les autres autant qu'on veut s'établir soi-même, et souhaiter leur accomplissement autant qu'on souhaite le sien propre. Puise en toi l'idée de ce que tu peux faire pour les autres − voilà qui te mettra dans le sens du *ren* ! » (VI, 28).

Cette mansuétude dictée par le sens de la réciprocité n'est rien moins que le fil conducteur qui permet de comprendre le *ren* et donne son unité à la pensée du Maître (cf. IV, 15). Tout commence par soi, dans le sens d'une exigence sans limite envers soi-même (*zhong*, 忠, dont la graphie évoque le cœur sur son axe central). Mais en même temps, c'est dans ce travail sur soi-même que l'on est à même d'étendre sa mansuétude à son entourage. Ce double axe de tension ouvre un champ relationnel fondé sur le respect ou la déférence réciproque. Il faut cependant se hâter de préciser que la relation de réciprocité n'est en rien égalitaire ; bien au contraire, elle garantit la hiérarchie sociale en l'intériorisant.

Notre potentiel de *ren* ne désigne pas seulement notre possibilité individuelle d'atteindre à toujours plus d'humanité, mais aussi le réseau sans cesse croissant et toujours plus complexe de nos relations humaines. Le *ren* se manifeste ainsi dans des vertus éminemment relationnelles puisque fondées sur la réciprocité et la solidarité dont on peut encore mesurer l'importance dans les liens hiérarchiques et obligataires qui caractérisent la société et les communautés chinoises.

La relation qui fonde en nature l'appartenance de tout individu au monde comme à la communauté humaine est celle du fils à son père. La piété filiale est donc la clé de voûte du *ren* en ce qu'elle est l'illustration par excellence du lien de réciprocité : la réponse naturelle d'un enfant à l'amour que lui portent ses parents dans le contexte général de l'harmonie familiale et de la solidarité entre les générations. Réponse qui ne peut se concrétiser que lorsque l'enfant est lui-même parvenu à l'âge adulte, au moment où les parents sont devenus à leur tour dépendants, ou même par-delà leur mort, dans le deuil porté pendant trois ans, durée qu'il faut au nouveau-né pour sortir du giron de ses parents.

La piété filiale, que l'on peut encore considérer comme vivante et signifiante dans de larges portions du monde sinisé, fonde en particulier la relation politique entre prince et sujet : de même que le fils répond à la bonté de son père par sa piété, le sujet ou le ministre répond à la bienveillance de son prince par sa loyauté qui commence, on l'a vu, par une exigence envers soi-même. Ces deux relations fondamentales s'enrichissent d'une multiplicité d'autres types de relations, qu'elles soient familiales (frère aîné-frère cadet, mari-femme) ou sociales (entre amis). L'harmonie de ces cinq relations considérées comme fondamentales par les confucéens est garantie par la relation de confiance, l'adéquation entre ce qu'il dit et ce qu'il fait. Cette intégrité qui rend un homme digne de confiance est elle-même la condition de son intégration dans le corps social. Comme le suggère l'adage des *Entretiens*, « Entre les Quatre Mers, tous les hommes sont frères » (XII, 5), le *ren* est au départ un sentiment de bienveillance et de confiance tel qu'il existe entre les membres d'une même famille, et qui peut se propager de proche en proche si la communauté est élargie à l'échelle d'un pays, voire de l'humanité entière.

L'esprit des rites

Pour Confucius, être humain, c'est être d'emblée en relation avec autrui, relation qui est perçue comme étant de nature rituelle. Se comporter humainement, c'est se comporter rituellement. La formule devenue célèbre, « Vaincre son ego pour se replacer dans le sens des rites » (XII, 1), indique la nécessité d'une ascèse visant à discipliner la tendance à l'égocentrisme et à intérioriser rituellement l'humanité de ses relations avec autrui. Dans l'esprit de Confucius, le *ren* et l'esprit rituel (*li*, 禮), sont indissociables. Ces deux termes, les plus fréquemment utilisés dans *Les Entretiens*, désignent en fait deux aspects d'une seule et même chose : la conception de l'humain chez Confucius.

Dans ses références au *li*, Confucius fait souvent allusion à l'origine religieuse du mot. Composé du radical des choses sacrées auquel vient s'ajouter la représentation schématisée d'un brouet de céréales dans une coupe, il désigne à l'origine un vase sacrificiel, puis, par extension, le rituel du sacrifice. Mais ce qui intéresse Confucius dans le *li*, et ce qu'il en retient, ce n'est pas l'aspect proprement religieux du sacrifice à la divinité, c'est l'attitude rituelle de celui qui y participe. Attitude d'abord et surtout intérieure, pénétrée de l'importance et de la solennité de l'acte en cours, qui ne fait que se traduire au-dehors par un comportement formel contrôlé.

La dimension rituelle de l'humanisme confucéen lui confère une qualité esthétique, non seulement dans la beauté formelle du geste et le raffinement subtil du comportement, mais du fait qu'il y a là une éthique qui trouve sa justification en elle-même, dans sa propre harmonie. D'où l'association naturelle des rites et de la musique, expression par excellence de l'harmonie. On aura compris que la notion de *li* prend à rebours l'idée que l'on se fait communément du ritualisme comme une simple étiquette, un protocole, bref un ensemble d'attitudes conventionnelles purement extérieures dont l'illustration caricaturale – mais ô combien répandue – est le Chinois se confondant en courbettes. Même s'il est permis de qualifier l'esprit rituel de formaliste, il s'agit d'une forme qui, du moins dans l'idéal éthique confucéen, se confond totalement avec la sincérité de l'intention. Il y a accord parfait entre la beauté de la forme extérieure et celle de l'intention intérieure.

En promouvant sa grande idée neuve de *ren* qu'il associe étroitement au *li*, Confucius insuffle à ce dernier un sens nouveau dans le code rituel de l'aristocratie ancienne, réduit à son époque à un cadre vide et des formes sans vie. Voici que la lettre est de nouveau animée par l'esprit. Comme pour l'« homme de bien » et le « sens de l'humain », Confucius opère au sujet de *li* un « glissement sémantique », passant du sens sacrificiel et religieux à l'idée d'une attitude intériorisée de chacun, qui est conscience et respect d'autrui, et qui garantit l'harmonie des relations humaines, qu'elles soient sociales ou politiques. Le champ d'action des rites se déplace des relations entre l'humain et le surnaturel vers celles qui existent entre les humains eux-mêmes. Mais malgré ce glissement, le caractère sacré du *li* est préservé dans toute sa puissance et son efficace : il y a en fait déplacement du sacré du domaine proprement religieux vers la sphère de l'humain.

Le *li* est donc ce qui fait l'humanité d'un groupe humain et de chaque homme dans ce groupe. En effet, les sentiments les plus instinctifs (attirance, répulsion, souffrance, etc.) ne deviennent proprement humains que lorsque les hommes leur donnent un certain sens, autrement dit lorsqu'ils les ritualisent (c'est aussi ce qu'on observe dans l'évolution des enfants depuis la naissance : pour un petit enfant, un acte prend sens à partir du moment où il est ritualisé). Dans la tradition confucéenne et plus généralement dans la culture chinoise, le comportement rituel constitue même le critère de distinction entre l'humain et la brute, mais aussi entre êtres civilisés et « barbares », distinction qui ne saurait dès lors relever de facteurs purement ethniques.

Le « décret du Ciel »

Pour Confucius, l'homme a une mission sacrée : celle d'affirmer et d'élever toujours plus haut sa propre humanité. Cette mission prime sur tous les autres devoirs sacrés, y compris ceux qui s'adressent aux puissances du divin ou de l'au-delà :

> « Zilu demande comment il convient de servir les esprits. Le Maître lui dit : "Tant que l'on ne sait pas servir les hommes, comment peut-on servir leurs mânes ?" Zilu l'interroge alors sur la mort. Le Maître répond : "Tant que l'on ne sait pas ce qu'est la vie, comment peut-on savoir ce qu'est la mort ?" » (XI, 11).

> « Fan Chi demande en quoi consiste la sagesse. Le Maître répond : "C'est rendre aux hommes leur dû en toute justice, et honorer esprits et démons tout en les tenant à distance" » (VI, 20).

Cette dernière phrase illustre parfaitement la position préconisée par Confucius vis-à-vis du supra-humain. Le sacré n'est plus tant le culte rendu aux divinités, mais la conscience morale individuelle, la fidélité à toute épreuve à la Voie (Dao), source de tout bien. Au nom du Dao, l'homme de bien doit être prêt à « être méconnu des hommes sans en prendre ombrage » comme l'annoncent en ouverture *Les Entretiens*, c'est-à-dire à renoncer à tous les avantages et signes extérieurs de la réussite et de la reconnaissance sociale et politique. L'exigence peut aller pour l'homme de bien jusqu'au sacrifice de sa vie :

> « Le Maître dit : L'adepte résolu du Dao, l'homme de *ren* véritable, loin de tenir à la vie s'il en coûte au *ren*, la sacrifierait au besoin pour que vive le *ren* » (XV, 8).

> « Le Maître dit : Qui le matin entend parler du Dao peut mourir content le soir même » (IV, 8).

Ce caractère sacré de l'adhésion au Dao, Confucius le souligne en lui donnant valeur de « décret du Ciel », employant l'expression même qui désignait le mandat dynastique des Zhou :

> « Le Maître soupire : Je reste méconnu de tous !
> - Zigong : Comment l'expliquez-vous ?
> - Le Maître : Je n'accuse pas le Ciel, je n'en veux pas aux hommes. Mon étude est modeste, mais ma visée est haute. Qui me connaîtrait, hormis le Ciel ? » (XIV, 37).

À plusieurs reprises, menacé de mort au cours de ses pérégrinations, Confucius déclare avec force n'avoir rien à craindre, invoquant son « destin céleste », celui même qu'il dit connaître à cinquante ans.

Portrait du prince en homme de bien

Ainsi, « l'apprendre », le sens de l'humain et l'esprit rituel forment une sorte de tripode qui fonde le pari confucéen : tant que l'on n'a pas appris à se comporter rituellement, on ne peut prétendre être humain à part entière. L'incarnation de cette trinité est le *junzi*, l'homme de bien pas seulement dans l'éthique individuelle, mais aussi et surtout dans son prolongement qu'est la pratique politique du souverain des hommes. La famille étant perçue comme une extension de l'individu et l'État comme une extension de la famille, et le prince étant à ses sujets ce qu'un père est à ses fils, il n'y a pas de solution de continuité entre éthique et théorie politique, la seconde n'étant qu'un élargissement de la première à la dimension communautaire. Confucius convertit ainsi l'autorité du prince en ascendant de l'homme exemplaire, de même que le « décret céleste » est converti de mandat dynastique en mission morale. En conséquence, la pensée confucéenne a toujours opéré sur le double registre de la « culture morale personnelle » qui vise à la « sainteté interne », et de la charge d'« ordonner le pays » qui tend à l'idéal institutionnel de la « royauté externe ».

L'ancienne unité religieuse, héritée des Shang et adaptée par les Zhou, se faisait autour de la personne du Fils du Ciel qui, en tant que tel, était seul à pouvoir sacrifier au Ciel et agissait comme prêtre en chef unifiant les aspirations du peuple entier. Avec Confucius, cette communion religieuse se trouve doublée par le consensus moral qu'est le sens de l'humain et qui se cristallise autour de l'homme de bien. La conviction profonde que la nature humaine, à force d'apprendre, est perfectible à l'infini ouvre en effet la voie d'une sainteté qui ne devrait rien au divin, mais qui ne relèverait pas moins du religieux. Par-delà le simple sage, le saint est à la fois ordinaire et « autre » en ce qu'il allie l'exemplarité, imitable de tous, et le dépassement de l'humanité ordinaire. Les deux types d'unité, religieuse et éthique, se rejoignent dans leur caractère ritualiste : la figure de l'homme de bien, incarnation d'une éthique du comportement rituel, vient doubler celle du souverain, pôle central d'une religiosité rituelle, jusqu'à idéalement se confondre avec elle.

Le souverain qui, dans l'idéal de la conception politique confucéenne, incarne naturellement le *ren* en s'imposant simplement par la bienveillance et non par la force, possède le *de*, 德. Cet autre terme issu du vocabulaire antique où il désigne la droiture du cœur mais qui prend une valeur nouvelle chez Confucius, est habituellement traduit par « vertu ». Commençons par préciser qu'il ne s'agit pas de la vertu prise au sens moral par opposition au vice – ce qui n'aurait pas grand sens en l'absence de dualité abstraite et manichéenne Bien-Mal. Si l'on adopte cette traduction par défaut (comme c'est, hélas, le cas pour nombre de notions chinoises), « vertu » serait plutôt à prendre dans son sens latin de *virtus* qui désigne l'ascendant naturel ou le charisme qui se dégage de quelqu'un et qui fait qu'il vous en impose sans effort particulier, et surtout sans recours à quelque forme de coercition extérieure.

La notion clé du gouvernement confucéen n'est en effet pas celle de pouvoir, mais d'harmonie rituelle. Le charisme personnel du souverain, tout comme le rituel, possède l'efficace du sacré par sa capacité, naturelle et invisible, d'harmonisation des rapports humains, sans pour autant dépendre des divinités auxquelles s'adressent les rites proprement religieux. L'opposition entre une puissance transformatrice qui oblige sans contraindre, et l'usage de la force ou de la coercition restera au cœur de la pensée politique confucéenne :

> « Le Maître dit : Gouvernez à force de lois, maintenez l'ordre à coups de châtiments, le peuple se contentera d'obtempérer, sans éprouver la moindre honte. Gouvernez par la vertu, harmonisez par les rites, le peuple non seulement connaîtra la honte, mais se régulera de lui-même » (II, 3).

Le credo éthico-politique de Confucius l'amène ainsi à définir un ordre de priorités qui reste étonnamment actuel :

> « Zigong : Qu'est-ce que gouverner ?
>
> - Le Maître : C'est veiller à ce que le peuple ait assez de vivres, assez d'armes, et s'assurer sa confiance.
>
> - Zigong : Et s'il fallait se passer d'une de ces trois choses, laquelle serait-ce ?

- Le Maître : Les armes.

- Zigong : Et des deux autres, laquelle serait-ce ?

- Le Maître : Les vivres. De tout temps, les hommes sont sujets à la mort. Mais un peuple qui n'a pas confiance ne saurait tenir » (XII, 7).

Sur le plan politique, l'éducation est tout aussi centrale que dans le développement de l'individu. Dans un gouvernement par le *ren*, le souverain est avant tout préoccupé d'éduquer ses sujets. On retrouve une fois de plus l'idée que le souverain n'est pas là pour contraindre, mais pour transformer dans le sens d'une harmonisation. Ce sera une éducation par l'exemple et l'imitation de modèles plutôt que par conformité à des normes ou des principes posés *a priori*.

« Rectifier les noms »

La primauté accordée à la valeur de l'exemple se retrouve dans la fameuse glose :

« Gouverner (*zheng*, 政), c'est être dans la rectitude (*zheng*, 正) » (XII, 17).

Dans le mot *zheng*, plutôt que l'idée de gouverner (c'est-à-dire de tenir le gouvernail), il y a celle d'ordonner le monde contenue dans la notion de *zhi*, 治, terme qui signifie à l'origine soigner un organisme malade au sens d'y rétablir un équilibre perdu. Autrement dit, l'art de gouverner n'est pas une question de technique politique qui demanderait une spécialisation, mais simple affaire de charisme personnel qu'il s'agit de posséder et de cultiver. L'adéquation de l'ordre du corps sociopolitique avec la rectitude morale du souverain donne toute sa signification rituelle à la nécessité de « rectifier les noms » (*zhengming*, 正名) :

« Zilu : À supposer que le prince de Wei compte sur vous pour l'aider à gouverner, que feriez-vous en tout premier lieu ?

- Le Maître : Une rectification des noms, sans doute.

- Zilu : Ai-je bien entendu ? Mais, Maître, vous n'y êtes pas ! Rectifier les noms, dites-vous ?

- Le Maître : Zilu, quel rustre tu fais ! Quand il ne sait pas de quoi il parle, un homme de bien préfère se taire. Si les noms sont incorrects, on ne peut tenir de discours cohérent. Si le langage est incohérent, les affaires ne peuvent se régler. Si les affaires sont laissées en plan, les rites et la musique ne peuvent s'épanouir. Si la musique et les rites sont négligés, les peines et les châtiments ne sauraient frapper juste. Si les châtiments sont dépourvus d'équité, le peuple ne sait plus sur quel pied danser. Voilà pourquoi l'homme de bien n'use des noms que s'ils impliquent un discours cohérent, et ne tient de discours que s'il débouche sur la pratique. Voilà pourquoi l'homme de bien est si prudent dans ce qu'il dit » (XIII, 3).

Ce passage qui, pour certains, serait postérieur à Confucius, prend pourtant tout son sens lorsqu'on le rapproche de la célèbre formule lancée par le Maître en réponse au duc Jing de Qi qui l'interroge sur l'art de gouverner : « Que le souverain agisse en souverain, le ministre en ministre, le père en père et le fils en fils » (XII, 11).

C'est en effet dans le rapprochement de ces deux passages que l'acte de nommer prend tout son sens : nommer quelqu'un « ministre » (par dénomination), c'est le nommer ministre (par nomination). C'est ainsi que la formule qui vient d'être citée (et qui n'est en chinois qu'une juxtaposition de termes : souverain-souverain, ministre-ministre, etc.) peut également être comprise selon une construction transitive et non plus prédicative : « Traiter en souverain le souverain, en ministre le ministre, etc. »

Que la théorie de la rectification des noms ait été ou non formulée par Confucius lui-même, l'idée d'une adéquation entre nom et réalité informe toute la pensée confucéenne. On y trouve en effet la conviction qu'il existe une force inhérente au langage qui ne fait qu'exprimer la dynamique des relations humaines ritualisées et qui n'a donc pas besoin d'émaner d'une instance transcendante. L'adéquation peut s'effectuer dans les deux sens : il convient d'agir sur les noms de manière à ce qu'ils ne s'appliquent qu'à des réalités qui les méritent, mais aussi d'agir sur la réalité des choses de manière à ce qu'elles coïncident avec les noms conventionnels.

Cette recherche d'une adéquation rituelle entre noms et réalités est la traduction peut-être tardive du rêve confucéen d'un monde non pas placé sous l'égide d'un gouvernement, fût-il idéal, mais s'harmonisant et s'équilibrant de lui-même, comme au temps du souverain mythique Shun qui se contentait de rester assis face au sud, incarnant ainsi un non-agir tout taoïste (XV, 4). Il y a chez Confucius une grande nostalgie de l'adéquation originelle de l'aventure humaine au cours naturel des choses où le Dao se manifestait naturellement, sans avoir à être explicité en discours et en principes :

« Le Maître dit : J'aimerais tant me passer de la parole.

- Zigong lui objecte : Mais si vous ne parliez pas, qu'aurions-nous, humbles disciples, à transmettre ?

- Le Maître : Le Ciel lui-même parle-t-il jamais ? Les quatre saisons se succèdent, les cent créatures prolifèrent : qu'est-il besoin au Ciel de parler ? » (XVII, 19).

La Voie confucéenne

Si Confucius déclare à qui veut l'entendre : « Je transmets l'enseignement des Anciens sans rien créer de nouveau, car il me semble digne de foi et d'adhésion » (VII, 1), il dit aussi : « Le bon maître est celui qui, tout en répétant l'ancien, est capable d'y trouver du nouveau » (II, 11). On a vu à propos de bon nombre de notions héritées de la culture antique comment Confucius, sans les déraciner de leur terreau originel, y fait passer une sève nouvelle en les intégrant dans une vision novatrice de l'humain. Pour reprendre les termes de Léon Vandermeersch, « le génie de Confucius est en effet d'avoir su, sans les transformer, intérioriser en valeurs éthiques les principes de la tradition institutionnelle qu'il s'était donné mission de restaurer » (*La Voie royale*, vol. II, p. 499). Dans la façon dont Confucius transmet en la transformant la Voie royale de l'antiquité se profile déjà le destin de la tradition chinoise. Celle-ci, au lieu de se scléroser dans la reproduction indéfinie d'un même modèle, ne doit sa vitalité deux fois millénaire qu'à son ancrage dans l'expérience et l'interprétation personnelles des individus qui l'ont vécue. C'est précisément dans la mesure où la Voie confucéenne est à la portée de tout un chacun qu'elle peut prétendre à l'universalité :

« C'est l'homme qui élargit la Voie

et non la Voie qui élargit l'homme »

(XV, 28)

Bibliographie

Outre la traduction quelque peu désuète de:

Couvreur, Séraphin (missionnaire en Chine au début de xxᵉ siècle), *Les Entretiens de Confucius et de ses disciples*, publiée dans *Les Quatre Livres*, 1895, rééd. Paris, Cathasia, 1949

il en existe de plus récentes en français, par ordre chronologique :

Cheng, Anne, *Entretiens de Confucius*, Paris, Seuil, 1981.

Ryckmans, Pierre, *Les Entretiens de Confucius*, Paris, Gallimard, 1987.

Levy, André, *Confucius : Entretiens avec ses disciples*, Paris, Flammarion, 1994.

En anglais :

Waley, Arthur, *The Analects of Confucius*, Londres, Allen & Unwin, 1938.

Lau, D. C., *The Analects*, Harmondsworth, Penguin Books, 1979.

Dawson, Raymond, *Confucius, The Analects*, Oxford University Press, 1993.

Brooks, E. Bruce et A. Taeko, *The Original Analects. Sayings of Confucius and his Successors*, New York, Columbia University Press, 1998.

En allemand :

Wilhelm, Richard, *Kung-Futse Gespräche*, 1910, rééd. Düsseldorf, Diederichs, 1955.

Parmi les nombreuses études sur Confucius et les *Entretiens*, on peut signaler notamment :

Wilhelm, Richard, *K'ungtze und der Konfuzianismus*, Berlin-Leipzig, 1928.

Creel, H. G., *Confucius, The Man and the Myth*, New York, The John Day Co., 1949.

Jaspers, Karl, « Konfuzius », dans *Die Grossen Philosophen*, vol. I, Munich, Piper, 1959.

Fingarette, Herbert, *Confucius - The Secular as Sacred*, New York, Harper & Row, 1972.

Etiemble, *Confucius de - 551 (?) à 1985*, Paris, Gallimard, 1985.

Hall, David L., et Ames, Roger T., *Thinking Through Confucius*, Albany, State University of New York Press, 1987.

Roetz, Heiner, *Konfuzius*, Munich, Beck, 1995.

Levi, Jean, *Confucius*, Paris, Pygmalion-Gérard Watelet, 2002.

Pour une vue d'ensemble de l'évolution historique et des différents courants philosophiques de la Chine ancienne et impériale, on pourra également consulter :

Cheng, Anne, *Histoire de la pensée chinoise*, Seuil, 1997 ; rééd. coll. « Points-Essais », 2002.

Les six arts

APRÈS LA DESTRUCTION presque complète du corpus gravé dans la pierre de l'ère Xiping aux environs de 190, la première « réédition » eut lieu à l'époque des Trois Royaumes sous la dynastie des Wei entre 240 et 248. C'est ainsi qu'au IVe siècle, les Xianbei, 鮮卑, un peuple qui nomadisait aux frontières de l'Empire et qui se rendra bientôt maître de la Chine du Nord, décident d'envoyer leurs futures élites à Luoyang afin qu'elles y consultent et étudient ces livres de pierre porteurs de l'essence même de la civilisation chinoise. Et c'est précisément par ce mot xue, 學, « étudier », que commencent Les Entretiens, fondement de l'enseignement du maître qui fait de l'éducation l'agent principal de la perfectibilité de l'homme.

Six disciplines, liu yi, 六藝, définies dans le chapitre consacré au ministère de la Terre (de l'Éducation) dans le Zhouli, 周禮, Les Rites des Zhou, toutes associées à un contexte mythique très ancien, constituaient les arts nobles dont la maîtrise habilitait au gouvernement : les rites et la musique (li, 禮, yue, 樂), l'écriture et la science des nombres (shu, 書, shu, 數), la conduite du char et le tir à l'arc (yu, 御, she, 射).

Les rites et la musique

Les rites comprennent principalement le culte des ancêtres mais également les cérémonies qui conviennent au rythme des saisons et à toutes les instances de la vie qui mettent l'homme en danger de rupture avec le ciel. Ils comportent aussi une gestuelle savamment codifiée de la reconnaissance de l'autre dans le respect mutuel des convenances imposées par le rang de chacun (cat. 43-44). Leur est dans tous les cas associée la danse (cat. 42), à l'origine une transe magique et qui est comme eux en étroite symbiose avec la musique, «... à la fois beauté achevée et sagesse suprême » (Lunyu, III, 25). Il va de soi qu'il n'est ici question que de celle qui répond aux normes de la « musique élevée », yayue, 雅樂 « principe régulateur que donnent le Ciel et la Terre, modèle d'équilibre et d'harmonie » et non de celle qui n'est, comme dans la principauté de Zheng, qu'une invite au libertinage (Lunyu, XV, 10). Cette conception de la musique élevée n'a cependant été définie avec précision que par l'auteur confucéen Xunzi, 荀子, (320-230) et ne fut véritablement mise en forme qu'au sein de l'institution du Bureau de la musique à l'époque de l'empereur Wudi, 武帝, (141-87). Les textes et l'archéologie, cependant, permettent d'imaginer la composition d'un orchestre de ce type à l'époque des Printemps et Automnes. Au premier rang venaient les carillons de cloches et pierres sonores (cat. 31-32), le plus souvent joués ensemble et disposés en registres superposés suspendus à un solide portique de bronze. Ces ensembles nous sont connus par leurs représentations sur divers objets du ve siècle avant notre ère ainsi que par l'impressionnant exemplaire de la même époque découvert intact dans la tombe du marquis Yi de Zeng. On leur adjoignait régulièrement un grand tambour. D'après Xunzi, le son de ce dernier est comparable au ciel, celui du carillon à la terre et celui des pierres sonores à l'eau. On trouve encore les cithares, orgues à bouche et flûtes, comparables au soleil, à la lune et aux constellations. La musique en Chine est ainsi considérée comme une des inventions fondatrices de la civilisation au même titre que l'écriture et le calendrier qui a donné naissance à la science des nombres.

L'écriture et la mathématique

Des inscriptions oraculaires des Shang tracées sur plastron de carapace de tortue à celles des bronzes rituels des Zhou, le même mot *wen*, 文, définit l'écriture. Créée par des devins, l'écriture fut d'abord le médium priviligié de la communication avec le divin. Elle s'est développée ensuite parmi les officiels de cour, ceux qui observent le ciel, notent les phénomènes naturels, établissent calendrier et almanach et ceux qui consignent les faits d'histoire tandis que les nobles s'adonnent à la rédaction d'hymnes et de poèmes, de chroniques ou encore des traités divinatoires. La nature même du caractère chinois qui ne renvoie pas seulement à un sens et à un son mais à des images et à des gestes, fait de l'écriture un acte qui « reproduit la dynamique et le mouvement du monde ». On s'y consacre en un lieu où règnent le calme et le silence, assis sur une natte tenue en place par quatre poids symboles de stabilité et permanence (cat. 39, 1-4) avec tous les outils nécessaires à portée de main. Le pinceau, bien entendu, mais aussi la pierre à encre (cat. 37) où l'on broie le pain d'encre avec un peu d'eau et le sceau (cat. 38), que le fonctionnaire lettré appose sur un document écrit ou peint en guise de signature ou de marque de propriété. Dans l'esprit des lettrés, l'effort de « rectification des noms » *zhengming*, 正名, énoncé par le Maître lui-même (*Lunyu*, XIII, 3) et repris par Xunzi (chap. XXII), représente à leurs yeux la meilleure, sinon la seule garantie d'efficacité dans l'exercice du gouvernement, qu'il s'agisse de soi ou de l'État.

Quant à la mathématique, selon Xunzi (chap. X), elle est à la source de l'exactitude des mesures, partant de l'enrichissement du pays et donc de la prospérité du peuple (cat. 40-41).

La conduite du char et le tir à l'arc

De même que la tortue, le char à caisse carrée comme la terre avec son dais rond comme la voûte céleste semble une métaphore de l'univers. Véhicule du soleil, il est aussi par excellence celui du souverain, lié « à la manifestation du pouvoir, à la guerre, à la chasse et aux parades rituelles » et, bien entendu, celui des nobles dans tous leurs déplacements. L'apprentissage commence entre quinze et dix-neuf ans mais plus tard, le maître du char délègue cette tâche à un conducteur (cat. 30), une situation qui donne lieu à tout un cérémonial qui régule la politesse des mœurs. Le tir à l'arc, enfin (cat. 33-36), ressortit à l'origine aux mythes et à la religion avec la légende de Yi l'archer qui sauva la terre en abattant les neuf soleils qui la menaçaient de leurs rayons ou encore avec le sacrifice de la victime tuée par la flèche du roi dans l'enceinte sacrée. Quant aux tournois (cat. 36) qui se disputent entre gens de bonne compagnie, ils sont le lieu où s'exercent le respect et la communion entre les êtres. Ainsi le tir à l'arc, selon les mots de Jean Levi, doit s'entendre «… comme une chorégraphie, meilleure voie possible pour la maîtrise du rite, fondement de tous les comportements humains ».

C. D.

30 **Voiture couverte du type *rong che* avec son conducteur. Hautes roues, caisse carrée et arceaux ayant soutenu le toit de l'habitacle**
Bronze
Époque des Han postérieurs, vers le IIe siècle
Chine du centre
L. 170 cm ; H. cheval 120 cm, H. conducteur, 62 cm
Collection particulière

31 | Carillon de huit pierres sonores de même forme
et de taille décroissante, chacune portant
une perforation apicale pour la suspension

Pierre calcaire

Époque des Royaumes combattants

Provient d'un site d'habitation dans l'ancienne capitale
de la principauté de Qi au Shandong, fouilles de 1978

L. de la plus grande, 55 cm ; l. 17 cm

Jinan, Institut de recherche et d'archéologie du Shandong

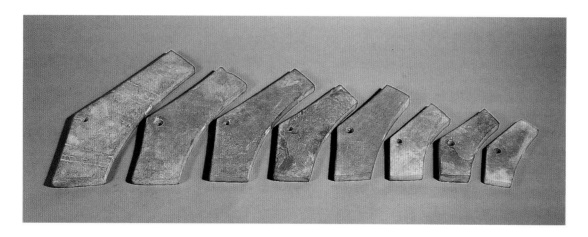

32 | Carillon de neuf cloches *niuzhong* caractérisées par une anse de suspension plate et une ouverture à section en amande

De part et d'autre de la partie centrale ou *zheng* sont réparties trois rangées de protubérances *mei*, le plan de frappe *gu* permet d'obtenir deux tons

Bronze

Époque des Printemps et Automnes

Provient de Tengzhou, Shandong, fouilles de 1982

H. 22 cm ; D. 15,8 cm pour la plus grande ; H. 13,2 ; D. 9,2 cm

Tengzhou, musée municipal

33 | **Récipient destiné à être rempli d'eau afin de servir de miroir**

À mi-hauteur d'une des parois longues, sur la face interne, une inscription d'un nom de clan reproduit la figure d'une personne tenant un arc

Bronze

Époque Shang

H. 15,7 cm ; L. 27,6 cm ; l. 26,1 cm

Jinan, musée provincial du Shandong

34 | **Objet en forme d'arc**

Probablement adapté des régions de la périphérie chinoise et monté à la poignée d'un arc à contre courbe pour assurer un meilleur point d'appui à l'archer lorsqu'il tendait la corde

Bronze incrusté de turquoises

Époque Shang, XIIe siècle avant notre ère

Provient de la province du Henan

L. 39,5 cm ; l. 4 cm

Paris, MNAA-Guimet, AA 120

35 | Bague d'archer

Passée au pouce, elle protégeait la main de l'archer de la brûlure de la corde lorsqu'il libérait la flèche qu'il venait d'encocher. Cet objet funéraire orné de figures découpées n'était sans doute pas fonctionnel

Turquoise

Époque des Han postérieurs

H. 4,5 cm ; ép. 2 cm

Paris, MNAA-Guimet, MA 3872

36 | Vase *hu* orné de haut en bas de scènes de concours de tir à l'arc, musique et chasse aux animaux sauvages

Bronze et incrustations de cuivre

Fin de l'époque des Printemps et Automnes, VIe-Ve siècle avant notre ère

H. 32,5 cm ; D. 23 cm

Paris, MNAA-Guimet, AA 73

37 | Pierre à encre en forme de tortue

Terre cuite grise et traces d'engobe
Époque des Han postérieurs
L. 22,2 cm ; H. 10,4 cm
Paris, MNAA-Guimet, MA 4665

38 | Sceau de fonctionnaire à bouton
de préhension en forme de tortue

Bronze doré

Époque des Han postérieurs

H. 3,5 cm ; L. 2,9 cm ; l. 2,9 cm

Paris, MNAA-Guimet, MA 3910

39 | Quatre poids à maintenir une natte au sol

Bronze doré avec en guise de carapace un coquillage
du type *cypraea tigris* (n. vernaculaire, porcelaine)

Époque des Han antérieurs, IIᵉ siècle avant notre ère

Proviennent de Yulin au Shanxi

L. 12 cm ; H. 6 cm ; poids moyen, 620 g

Paris, MNAA-Guimet, MA 6946 1-4

40 | Mesure à grain

Terre cuite grise ornée à mi-hauteur d'un bandeau
circulaire en relief ayant l'aspect d'une corde. Au fond,
le caractère *lin* imprimé dans la terre nomme le récipient

Époque des Royaumes combattants

Provient de la ville de Zou au Shandong,
fouilles de 1951

H. 33 cm ; D. 30,6 cm

Jinan, musée provincial du Shandong

41 Récipient mesure

Terre cuite grise portant sur son pourtour extérieur un rescrit impérial en quarante caractères gravés sur deux lignes attestant de vingt-six ans de paix et tolérance instituées par l'empire

Époque Qin (221-207 avant notre ère)

Provient de la ville de Zou au Shandong, fouilles de 1963

H. 9,2 cm ; D. 20,5 cm

Jinan, musée provincial du Shandong

Deux figurines funéraires représentant un personnage dansant

Terre cuite et polychromie

Époque des Han antérieurs, IIe-Ier siècle avant notre ère

H. 27 et 26,5 cm ; l. 9,5 cm

Paris, MNAA-Guimet, MA 6318 et MA 4652

43 | **Figurine funéraire à la jambe droite levée**

Accomplit peut-être la gestuelle de deuil qui consiste à « bondir » pour exprimer soit la douleur, soit la compassion

Terre cuite grise et traces de polychromie

Époque des Han antérieurs

H. 12, 8 cm

Paris, MNAA-Guimet, MA 3915

44 | **Figurine funéraire en prostration**

Accomplit un salut révérencieux du type prosternation agenouillée ou *kongshou bai*. Également figuré sur les dalles d'époque Han (cf. cat. 24-25)

Terre cuite et traces de polychromie

Début de l'époque Tang, fin du VIIe ou début du VIIIe siècle

L. 19 cm ; l. 8 cm

Paris, MNAA-Guimet, MA 6945

Hans van Ess

Le confucianisme dans la Chine impériale

Au XVIIe siècle, lorsque les jésuites commencèrent à expliquer le confucianisme aux Européens, ils le présentèrent comme une doctrine rationnelle de l'État et de l'ordre, relative au monde d'ici-bas, qui se démarquait avantageusement de la superstition générale imprégnant les grandes religions chinoises, le bouddhisme et le taoïsme. Confucius avait été un philosophe, et non un fondateur de religion. Il avait souligné l'importance des rites (*li*), moyen d'ordonner la vie communautaire des hommes, tout en se tenant éloigné du surnaturel. L'action du confucéen se limitait donc surtout à son environnement social et ne concernait pas l'au-delà.

Pour étayer leur point de vue, les jésuites pouvaient se référer à toute une série de déclarations du Maître lui-même. Ces aphorismes sont consignés dans *Les Entretiens de Confucius (Lunyu)*[1], ouvrage qui contient sans doute les plus anciens documents sur le Maître que l'on puisse considérer comme authentiques, même si ce matériel ne fut probablement rassemblé qu'au IIe siècle avant J.-C. : « Le Maître ne traitait ni des prodiges, ni de la violence, ni du désordre, ni des esprits », est-il écrit dans le chapitre VII, 21 du *Lunyu*. « Nous pouvons écouter et recueillir l'enseignement du Maître sur tout ce qui relève du savoir et de la culture, mais il n'y a pas moyen de le faire parler de la nature des choses, ni de la Voie céleste », déclaraient aussi les disciples directs de Confucius (V, 13). Un autre passage relate une conversation entre Confucius et l'un de ses élèves : « Zilu demanda comment servir les esprits et les dieux. Le Maître dit : "Vous ne savez pas encore servir les hommes, comment voudriez-vous servir les esprits ?" L'autre demanda : "Puis-je vous interroger sur la mort ?" Le Maître dit : "Vous ne comprenez pas encore la vie, comme voudriez-vous comprendre la mort ?" » (XI, 12).

Le difficile paragraphe 35 du chapitre VII des *Entretiens* évoque un moment critique de la vie du Maître : « Le Maître tomba gravement malade. Zilu lui demanda la permission d'offrir une prière expiatoire. Le Maître dit : "Cela se fait-il ? – Cela se fait, répondit Zilu, ainsi est-il dit dans l'*Oraison* : 'Pour toi, nous offrons cette prière aux Esprits du ciel et à ceux de la terre'." Le Maître dit : "Oh, si c'est ça que tu veux dire, il y a longtemps que je prie." » Ce paragraphe peut se comprendre de diverses façons. Selon ses premiers commentateurs, il signifie que Confucius a toujours

---

1. *Les Entretiens de Confucius*, traduit du chinois, présenté et annoté par Pierre Ryckmans, Gallimard, coll. « Connaissance de l'Orient », 1995.

été en harmonie avec les puissances supérieures. Certains en ont déduit qu'il n'avait pas besoin de prières et qu'il voulait couper court aux intentions de son disciple naïf ; pour d'autres, au contraire, il était d'accord avec son disciple et approuvait ses prières.

Il existe aussi des traditions confucéennes qui affirment que le Maître, de toute évidence, aurait eu une grande connaissance des esprits et n'en aurait pas refusé la vénération. Si ces traditions trouvent peu d'écho dans les *Entretiens de Confucius*, elles sont attestées dans une série d'autres sources contenant également des éléments anciens sur Confucius. Il faut rappeler ici que la doctrine de Confucius s'est très tôt scindée en des branches diverses. La plus importante de ces traditions divergentes sera plus tard celle de Mengzi − dont le nom fut latinisé en Mencius par les jésuites − qui vécut au tournant des ivᵉ et iiiᵉ siècles avant J.-C. et aborda dans ses écrits plusieurs sujets négligés par Confucius. Si le Maître avait déjà parlé d'humanité, Mencius y ajouta la justice, l'usage et la sagesse. C'est lui qui formula l'idée des « Cinq relations » ou rapports hiérarchiques entre le prince et le sujet, le père et le fils, l'homme et la femme, les anciens et les jeunes, les amis entre eux. Mencius attachait une importance particulière à la nature humaine et au cœur, que l'homme se devait de garder pur.

Pendant la majeure partie du temps que dura l'Empire de Chine, la vertu suprême du confucéen fut la « piété filiale », c'est-à-dire l'amour et le respect envers les parents. Il est relativement peu question de cette piété filiale (*xiao*) dans les *Entretiens de Confucius*. Pourtant, elle apparaît déjà dans des inscriptions sur des bronzes réalisés, pour certains d'entre eux, plus de cinq cents ans avant l'époque de Confucius. Le mot *xiao* n'y est mentionné qu'en étroite relation avec le culte des ancêtres, entretenu par les propriétaires ou les donateurs des bronzes en hommage à leurs pères ou à leurs aïeuls défunts. Ce n'est que sous la dynastie des Han (206 avant-220 après J.-C.) que le *xiao* devint une vertu s'appliquant aussi aux parents vivants. Dans l'historiographie de cette époque, chaque empereur des Han était qualifié de « pieux », épithète confucéenne destinée probablement à souligner son attitude dans le culte des ancêtres de sa dynastie.

Outre le respect des parents, la seconde priorité du confucianisme des Han fut le devoir d'apprendre. On comprend aisément dès lors que la vertu de la piété filiale ait été détachée, sous les Han, de sa seule référence aux parents et ancêtres pour être également appliquée aux maîtres, en une attitude qui conserve aujourd'hui encore toute sa validité dans de nombreuses régions de Chine. Des écoles publiques et privées virent le jour, dans lesquelles furent enseignés les textes canoniques qui avaient probablement aussi servi de matériel d'enseignement dans la propre école de Confucius : le *Livre des mutations* (*Yijing*, texte prophétique), le *Livre des documents* (*Shujing* ou *Shangshu*, discours et harangues des premiers souverains chinois, serments et autres textes de ce type), le *Livre des odes* (*Shijing*, anthologie relevant de plusieurs genres littéraires), le *Livre des rites* (*Yili, Zhouli* et *Liji*, ensemble de règles concernant les bienséances et les cérémonies), et les *Printemps et Automnes* (*Chunqiu*, chronique de l'État de Lu dont était originaire Confucius). S'y ajoutait enfin le *Livre de la musique* dont il n'existait plus, sous les Han, de texte complet et autonome. Au cours d'un long processus, qui se prolongea au-delà de la fin de la dynastie des Han, le contenu de ces « Six classiques » et de leurs cinq textes essentiels acquit une telle importance que leur connaissance devint la condition indispensable à toute carrière de fonctionnaire au sein de l'organisation bureaucratique de l'État. Les textes canoniques, dont Confucius ne fut pas nécessairement l'auteur bien qu'on lui en attribue une rédaction, allaient devenir la base déterminante pour tous les concours de recrutement des fonctionnaires des deux millénaires suivants.

La plus importante des écoles fondées par les Han dès le iiᵉ siècle avant J.-C. fut la Grande École impériale dans laquelle enseignaient des docteurs s'employant à l'exégèse des différents textes canoniques. Le nombre de ces docteurs et de leurs élèves augmenta rapidement durant la période des Han : au iiᵉ siècle après J.-C. plus de trente mille étudiants auraient étudié et habité dans cette école d'administration, presque comme sur un campus moderne. C'est ainsi qu'elle put devenir le centre intellectuel de l'Empire.

Comme nous l'apprend l'historiographie de l'époque, les maîtres jouissaient d'une profonde vénération. Il n'est pas rare que les funérailles de grands connaisseurs des écrits canoniques aient rassemblé des centaines voire des milliers d'élèves. Déjà le fondateur de la dynastie des Han – dynastie dont Confucius, d'après une interprétation courante, aurait prédit et annoncé l'émergence – aurait sacrifié aux reliques du Maître lui-même. Et quelque deux siècles plus tard, un disciple de Confucius se verra attribuer la fonction de gouverneur d'une marche. Le second empereur des Han postérieurs, qui régna au milieu du 1er siècle après J.-C., aurait ordonné que l'on sacrifie à Confucius lors des fêtes provinciales organisées chaque année dans les écoles. Lui-même, comme plusieurs de ses successeurs, se rendit dans la région natale de Confucius, pour faire des offrandes au Maître et à ses soixante-douze meilleurs disciples. De cette manière, Confucius se trouva pour ainsi dire promu au rang de premier maître de l'État.

Ce fut le début d'une tradition qui allait durer – avec quelques interruptions toutefois – près de deux mille ans, et connaître surtout un renforcement sous la dynastie des Tang (618-907). En effet, les Tang firent ériger dans leur capitale Chang'an, l'actuelle Xi'an, le premier temple dédié à Confucius qui fût situé hors du pays de Lu. Outre des disciples de Confucius, on y honorait aussi des lettrés d'époques ultérieures ; c'est ainsi que plus tard, être accueilli même à titre posthume dans ce temple sera considéré par tout confucéen comme un honneur suprême[2]. Ce phénomène s'accompagna d'une vénération des statues et portraits des dignes lettrés de l'Antiquité, qui rapprocha de plus en plus, par son culte, le confucianisme des autres religions. Dans une certaine mesure, ce processus revêtait un caractère paradoxal : dès que des lettrés traditionnels tentaient de se démarquer du bouddhisme ou du taoïsme en se réclamant de Confucius – et inversement pour les bouddhistes et les taoïstes voulant se distinguer des confucéens –, ils soulignaient que la doctrine de Confucius était ancrée dans le monde d'ici-bas qu'elle visait à ordonnancer. On en trouve notamment l'illustration dans de nombreuses polémiques entre les IIIe et VIe siècles, époque durant laquelle les confucéens furent surtout réputés pour être des spécialistes du rite.

Bien évidemment, le culte de Confucius allait à l'encontre de cette image d'un maître rationnel. On ne s'étonnera pas dès lors qu'à partir de la dynastie des Song (960-1280), de plus en plus de lettrés insistèrent pour que la vénération des statues soit abolie, car inconciliable avec les idées initiales du Maître. Il fallut pourtant attendre l'année 1530 pour qu'un décret impérial bannisse tous les portraits et statues de Confucius et de ses disciples, présents dans les temples désormais disséminés dans tout le pays. Ironie du sort, cette interdiction ne précéda que de peu l'arrivée en Chine des premiers jésuites qui eurent ainsi du confucianisme une image complètement différente de celle qui se serait offerte à eux s'ils avaient atteint la Chine autour de l'an 1500. Peut-être auraient-ils alors perçu le confucianisme bien davantage comme une religion. Il faut noter par ailleurs qu'après l'an 1500, et surtout au XVIIe siècle, commencèrent à se répandre des représentations en images de la vie de Confucius, les *Shengji tu*, phénomène qu'il convient sans doute d'interpréter comme une réaction à l'interdiction des statues, et qui montre que la vénération populaire de Confucius fut influencée par des modèles bouddhistes[3].

2. Voir, sur le culte de Confucius, Frans Xaver Biallas, *Konfuzius und sein Kult*, Pékin-Leipzig, 1928 ; John Shryock, *The Origin and Development of the State Cult of Confucius*, New York, 1932.

3. Voir à ce sujet Hans Stumpfeldt, *Das Leben des Konfuzius : Bilder zu den Taten des Weisen*, Zurich, 1991 ; Julia Murray, « Illustrations of the Life of Confucius : Their Evolution, Functions, and Significance in Late Ming China », *Journal of Asian Studies*, 55, 2 (1996), p. 269-300.

Entre les IIIe et Xe siècles après J.-C., hormis l'élite, une grande partie de la Chine était certainement davantage imprégnée par le bouddhisme ou le taoïsme que par le confucianisme. Les lettrés qui se retrouvaient dans des régions reculées, en tant que fonctionnaires du gouvernement ou en raison de leur bannissement, se plaignaient que les écrits confucéens y soient totalement inconnus, et que l'on y trouve, inversement, toutes sortes de soutras bouddhiques. Ainsi s'instaura sous les Song une rivalité parfois intense entre les savants confucéens, bouddhistes et taoïstes. Cette « compétition » visait non seulement à gagner à sa propre cause les empereurs de la dynastie, mais parfois aussi, à un niveau inférieur, à changer la vocation des sanctuaires. Il arrivait que des temples locaux dédiés à Confucius ne puissent résister à la concurrence bouddhiste et soient déplacés ou « annexés ». À l'inverse, des lettrés confucéens tentèrent de transformer des sanctuaires taoïstes ou des temples bouddhiques en lieux de vénération de héros autochtones de la culture chinoise. Les lettrés ne manquaient pas alors de souligner que cette ancienne vénération était différente du culte pratiqué par les bouddhistes. En effet, dans le *Livre des rites*, il est déjà écrit qu'on ne fait pas des offrandes dans l'espoir d'obtenir quelque chose ; au contraire, elles sont là pour récompenser d'anciens mérites. Au niveau local, toutefois, des temples virent le jour dans lesquels étaient vénérés des savants confucéens ; et il semble évident que la population locale y déposait ses offrandes dans le même but que dans les autres temples : pour implorer prospérité et bénédiction[4].

Ces évolutions montrent que, par rapport aux idées rationalistes souvent considérées aujourd'hui comme authentiquement confucéennes, une mutation profonde s'était opérée qui ne peut s'expliquer qu'avec l'influence des grandes religions. Progressivement, en adoptant lui aussi des éléments nouveaux, le bouddhisme s'était adapté au contexte chinois. Avec l'épanouissement du bouddhisme *Chan* à partir de l'époque des Tang, les idées bouddhiques s'enracinèrent également, et de plus en plus profondément, dans les milieux de l'élite chinoise. Ainsi, au plus tard à partir du VIIIe siècle, le système de pensée confucéen se trouva-t-il envahi à son tour avec une force grandissante par des concepts bouddhiques. Au XIe siècle, lorsque naquit un mouvement que l'Europe et l'Amérique désignent volontiers sous le nom de « néo-confucianisme », ce dernier s'inspira massivement des modèles bouddhiques, notamment dans sa terminologie tout à fait inédite dans le contexte confucéen.

Seuls quelques néo-confucéens se sont distingués pour avoir écrit des traités philosophiques autonomes. À la place, on vit apparaître – adoption d'un genre également issu du bouddhisme *Chan* – des « notes de disciples », compilations proches dans une certaine mesure des *Entretiens de Confucius*, qui rassemblaient non seulement des phrases aux formes parfaites présentées de manière systématique, mais aussi des notations juxtaposées reflétant ce que les élèves avaient entendu de leur maître. Comme les disciples écoutaient avec une concentration inégale, il pouvait arriver que se côtoient des déclarations plutôt contradictoires. Le plus important des néo-confucéens était un homme du nom de Zhu Xi (1130-1200) dont l'enseignement nous a été transmis surtout par d'abondantes notes d'élèves, mais aussi par un recueil d'œuvres littéraires comptant cent chapitres constitués de lettres, inscriptions funéraires, poèmes et autres textes. Le fait que la terminologie néo-confucéenne se soit inspirée du modèle bouddhique revêt une importance particulière pour le concept *li*, au cœur de la doctrine de Zhu Xi, qui est clairement emprunté au bouddhisme *Huayan* où il désigne une sorte de vérité ultime. Dans le contexte néo-confucéen, il est souvent rendu par « principe », traduction qui est d'ailleurs discutable. Zhu Xi divise le monde en un domaine du *li* qui n'est pas lié aux formes concrètes, et en un domaine du *qi*, de la force matérielle dont est constitué le monde formel.

4. À ce sujet, voir Linda Walton, *Academies and Society in Southern Sung China*, Honolulu, 1999.

Du temps de Zhu Xi, la Chine se trouvait dans une situation politique délicate : dès le début de la dynastie des Song, les lettrés chinois furent contraints de modifier leur ancienne vision du monde. Il était difficile de continuer à se considérer comme le seul centre du monde, car il était désormais évident qu'étaient nés, au nord et à l'ouest, de grands empires militairement supérieurs aux Song. Au XIIe siècle, lorsque des lettrés isolés commencèrent à rassembler en recueils les écrits et paroles des premiers néo-confucéens du XIe siècle, ils le firent dans le dessein déclaré de redonner par ces doctrines sa puissance à la Chine. En 1126, un peuple semi-nomade venu du nord, les Jurchen, avait envahi et annexé la partie septentrionale de l'Empire, berceau de la civilisation chinoise. Qu'une telle invasion ait pu s'opérer aussi facilement fut imputé au début, par de nombreux néo-confucéens, à l'influence lénifiante du bouddhisme quiétiste, même si beaucoup d'autres adeptes du néo-confucianisme étaient eux-mêmes adeptes du bouddhisme. Cette approche transforma les enseignements des maîtres néo-confucéens en une sorte de mouvement salvateur, à l'adresse du gouvernement de l'État : on avait trouvé une voie permettant un retournement de situation, et cette voie consistait à étudier à nouveau les écrits de Confucius et de Mencius.

Le néo-confucianisme de Zhu Xi n'aurait sans doute jamais connu un tel succès si le développement de l'impression xylographique depuis le VIIIe et surtout le XIe siècle, n'avait jeté la base d'une diffusion générale du savoir en Chine. Si les études avaient autrefois servi à briguer un poste de fonctionnaire, les chances de réussite restant relativement raisonnables, l'armée des instruits augmenta massivement à partir du XIe siècle. Le nombre de ceux qui se préparaient aux examens officiels, mais ne parvenaient pas à satisfaire leurs exigences de plus en plus poussées, s'accrut progressivement par rapport au nombre des élus, en une tendance qui n'allait plus s'inverser jusqu'à la fin de la période impériale. Zhu Xi prit pour élèves beaucoup de ces insatisfaits, leur offrant de nouvelles perspectives. Il instaura un nouveau principe d'enseignement pour les débutants : ils ne devaient plus apprendre en priorité les « Six canons », mais les « Quatre Livres », c'est-à-dire les *Entretiens de Confucius*, le *Mengzi*, ainsi que deux chapitres du *Livre des rites (Liji)* : *L'Invariable Milieu (Zhongyong)* et la *Grande Étude (Daxue)*. Cette simplification du canon visait à réduire la pure récitation par cœur des classiques au profit d'une mise en valeur du contenu même des textes lus. Jusqu'à la fin de l'époque impériale, les « Quatre Livres » restèrent l'élément fondamental de la formation des élèves chinois.

Outre l'élaboration d'un nouveau principe d'enseignement, le mouvement néo-confucéen se fixa pour tâche d'apporter un commentaire renouvelé et simplifié des anciens textes canoniques qui avaient fait l'objet d'une abondante littérature exégétique. À la pratique religieuse du bouddhisme et du taoïsme, Zhu Xi emprunta la méditation, lui accordant une valeur essentielle. Ce facteur contribua probablement lui aussi au succès du néo-confucianisme, le mouvement n'étant pourtant pas à l'abri des controverses en raison même de sa parenté évidente avec d'autres doctrines. Pour l'individu, cette nouvelle approche des contenus confucéens signifiait une recherche d'intériorité plus marquée[5], même si l'idéal d'accomplissement personnel fixé par Zhu Xi s'accompagnait aussi de la volonté d'analyser les choses du monde extérieur et d'en connaître les principes et modes de fonctionnement. C'est entre ces deux pôles – la culture de la personnalité individuelle, de l'« être vertueux », et l'érudition – qu'allait se situer toute l'action du confucianisme au cours des siècles suivants[6]. Si le terme de confucéen était autrefois presque synonyme de

5. Voir à ce propos la présentation magistrale de James T. C. Liu, *China Turning Inward - Intellectual-Political Changes in the Early Twelfth Century*, Cambridge, 1988.

6. Les formules « exaltation de la nature morale » (*zun de xing*) et « voie de l'investigation et de l'étude » (*dao wen xue*) viennent du *Zhongyong*, l'un des « Quatre Livres ». Voir à ce propos : « Zhongyong », trad. James Legge, *The Chinese Classics*, 1, Hong-kong-Londres, 1861, p. 422.

serviteur critique mais loyal de l'État, qui mettait en garde le souverain ou ses supérieurs lorsque de mauvaises décisions étaient prises, ce fut désormais la famille qui se trouva au cœur des aspirations confucéennes.

D'une manière générale, ce mouvement, qui se définissait lui-même comme la « Doctrine de la Voie Juste », devait se présenter comme une communauté semblable à une secte dont l'importance politique s'accrut progressivement. En témoignent l'attitude des chefs du mouvement qui soulignaient ostensiblement les valeurs communes de leurs adeptes, mais aussi le fait que les néo-confucéens orthodoxes se distinguaient manifestement de leurs contemporains jusque dans leurs habitudes vestimentaires et leur manière de s'exprimer. Au xiiie siècle, lorsque les Mongols soumirent d'abord les Jurchen puis la dynastie des Song, l'importance du néo-confucianisme s'accrut : les nouveaux dirigeants voulaient montrer qu'ils n'étaient pas de simples barbares, mais qu'ils s'attachaient à respecter les valeurs culturelles de leurs sujets. Ainsi, le néo-confucianisme qui avait commencé comme un mouvement d'opposition se mua-t-il progressivement en une orthodoxie officielle, statut qu'il allait conserver jusqu'en 1911. La « Doctrine de la Voie Juste » avait réussi à acquérir le monopole d'un enseignement sanctionné par l'État. D'un autre côté, toutefois, elle perdit les caractéristiques religieuses que lui avait conférées Zhu Xi. C'est ainsi que naquit l'image d'un confucianisme rationaliste reprise par les jésuites et encore en vigueur aujourd'hui.

Sous les Yuan (1279-1368) puis sous les Ming (1368-1644), les interprétations des textes canoniques datant de la dynastie des Song remplacèrent les commentaires antérieurs dans leur rôle au sein du système des examens officiels. Sous la dernière dynastie, la dynastie mandchoue des Qing (1644-1911), également fondée par un peuple étranger venu du nord, on assista, certes, à un certain retour aux interprétations les plus anciennes, mais jamais l'État ne remit plus en question la doctrine de Zhu Xi.

C'est seulement au xixe siècle, lorsqu'il devint évident que la Chine avait peu à opposer aux forces militaires relativement réduites envoyées par les puissances occidentales – l'Angleterre, la France et la Russie – que des réformateurs eurent l'idée que l'engourdissement de la pensée chinoise devait être à l'origine de la faiblesse de leur pays. Il est vrai que le curriculum éducatif qui servait de base à la sélection des fonctionnaires était maintenant vieux de sept siècles. Les réformateurs du cercle de Kang Youwei (1858-1927) tentèrent d'abord de résoudre les problèmes en s'appuyant sur des principes inhérents au confucianisme. Ils pensaient surtout que la vraie religion dont disposaient les Européens n'était sans doute pas étrangère à leur force. Kang Youwei suggéra donc que la Chine, sur le modèle européen, crée une Église confucéenne, avec des prêtres confucéens et une célébration religieuse hebdomadaire. Le réformateur expliquait l'absence d'une telle Église par des évolutions négatives au sein du confucianisme qui s'étaient produites dès le i^{er} siècle après J.-C.

Pourtant, à l'époque où fut émise cette proposition de faire du confucianisme ce qu'il n'avait jamais été auparavant, il était déjà mort en tant que modèle de société. En effet, pour les intellectuels chinois de la génération suivante, c'est le principe hiérarchique né selon eux du confucianisme, qui exigeait l'acceptation des « Cinq relations » définies par Mencius, qui était le véritable responsable du déclin de leur pays. Ils exhortèrent à se débarrasser de Confucius (avec le fameux slogan « Cassons la boutique à Confucius ! »), et connurent à cet égard plus de succès que Kang Youwei. Même si certains aspects des vertus confucéennes sont peut-être encore – ou de nouveau – tenus en haute estime dans la culture chinoise, le confucianisme tel que l'avait connu la Chine impériale n'existe plus, car personne ne voudrait plus élever les trois piliers visibles sur lesquels il s'appuyait : la vénération publique de Confucius dans des temples, le système d'examens reposant sur les textes canoniques, et le culte populaire rendu au Maître dans l'imagerie et les sanctuaires.

De l'accomplissement personnel à la chose publique

Aux *shi* 士, les « GENTILSHOMMES » qui œuvraient au service des grandes familles sous les Zhou (1050-221) vont succéder les *junzi* 君子, les « hommes de bien » formés aux Six arts selon l'idéal confucéen. Les Han (206 avant-220 après notre ère) pour administrer leur vaste territoire étendront cette formation à un corps d'État. Après plus de trois siècles de troubles, le pays est réunifié et la dynastie des Sui installée. Wendi 文帝 (581-604), son premier souverain, entreprend une politique de reconstruction ambitieuse que son successeur Yangdi 隨煬 (605-617) prolongea. Parmi les grands chantiers auxquels la dynastie a attaché son nom, il faut signaler le *keju* 科舉 ou système des examens instauré en 606 pour plus d'un millénaire, fondement même de l'administration chinoise. Les Tang (618-907) et leurs successeurs se contenteront de perfectionner cet héritage. Le *Xin Tangshu* 新唐書 la « Nouvelle Histoire des Tang », aux chapitres *Traité des examens, Traité des fonctionnaires, Traité de l'armée*, consacre de longs développements à cette réforme[1]. Ces fonctionnaires issus des concours deviennent dès lors les personnages clés de l'empire. C'est véritablement entre leurs mains que repose le gouvernement. Arbitres dans tous les domaines, ils marqueront de leur sceau la société chinoise.

Le culte funéraire, fondement de tout rituel, continue à se manifester sous l'apparence de tortues porte-stèle, symboles de longévité et de mémoire écrite (cat. 45 et 46). Sous les Sui et les Tang, dans les tombes, les représentations des fonctionnaires figurent en bonne place et s'imposent dans la ronde-bosse funéraire. Elles incarnent le pouvoir officiel par-delà la mort et se caractérisent par un canon frontal volontiers hiératique (cat. 47-52). Coiffures, vêtements et attributs divers renforcent ces signes d'appartenance à cette élite lettrée aux commandes de l'État. Des portraits peints sur différents supports, des Song (960-1278) aux Qing (1644-1911), attestent la permanence de cette iconographie. Même quand il s'agit de personnages clairement identifiés grâce à leurs inscriptions, on a affaire la plupart du temps à de simples images génériques apparemment dépersonnalisées (cat. 53). Il semble, en effet, que la mission essentielle du peintre ne consiste pas à transcrire les traits d'un individu à un moment donné de son existence, mais à rendre une vie tout entière avec ses marques d'honneur. La vingtaine de portraits présentée s'inscrit dans une sorte de climat intemporel où la pérennité d'un système paraît l'emporter sur tous les autres critères. Si ces œuvres subsistent actuellement, ce n'est pas en raison de leur qualité plastique intrinsèque mais parce qu'elles ont constitué à un moment donné un maillon de la chaîne d'un clan familial conservé au sein d'un temple des ancêtres. C'est le cas des peintures de vénérables et de leurs épouses de la collection Broquet aujourd'hui au musée Guimet qui proviennent en majorité du sanctuaire de la famille Liu et parfois mentionnent la génération d'appartenance de l'ancêtre figuré (cat. 54-74). Il en va de même pour les robes. Elles proviennent toutes de la résidence de Confucius à Qufu, ce conservatoire exceptionnel d'uniformes des descendants du sage. Deux d'entre elles, en soie rouge, relèvent des Ming, la troisième, en soie bleue, date des Qing (cat. 76-78). Le fait que leur ornementation recourt au symbole du dragon tient au statut particulier de cette famille. Traditionnellement, le corps et le grade du fonctionnaire sont reconnaissables au *buzi* 補子, le carré brodé qu'il porte sur la poitrine ; les civils arborent différents oiseaux, les

---

1. *Traité des examens*, trad.
R. Des Rotours, Paris, 1932 ;
*Traité des fonctionnaires et Traité
de l'armée*, trad. R. Des Rotours,
2 vol., Leyde, 1947-1948.

militaires des fauves, les gens de justice des animaux mythiques (cat. 79-80). Le *putou* 幞頭, coiffe en gaze noire laquée munie de deux ailes, est un attribut habituel du fonctionnaire *ming*. Il existe également des couvre-chefs plus rares réservés à des personnages singuliers comme le *pibian* 皮弁 chapeau à rayon enroulé maintenu par une longue épingle et *mianguan* 冕冠 couronne garnie de pierres semi-précieuses (cat. 82-83). Provenant également de la même sépulture que les deux pièces précédentes, la boucle en or et pierres précieuses ainsi que la ceinture en jade ajouré cerclé d'or et l'ornement en perles de jade (cat. 84-86) témoignent du rang élevé de son propriétaire. Toutes ces œuvres furent exhumées en 1971 dans la tombe de Zhu Tan 朱檀 au pied du mont Jiulong dans la province du Shandong. Zhu Tan était le dixième fils du fondateur des Ming, Zhu Yuanzhang 朱元璋. Né en 1371, il devint prince de Lu, l'État où naquit Confucius. Fin lettré, il excellait en chant et en poésie. D'ailleurs sa tombe recelait aussi une belle édition d'époque Yuan (1279-1368) des *Sishu* 四書 les quatre classiques confucéens (cat. 29). Toutefois, sa quête de la drogue d'immortalité lui sera fatale. Il meurt empoisonné en 1390 ; il avait à peine dix-neuf ans. Les Qing (1644-1911) prolongeront l'héritage de leurs prédécesseurs comme l'attestent leurs créations, tout en modifiant sensiblement la coupe des vêtements (cat. 78). Aux robes amples à manches larges des Ming, ils substituent des modèles près du corps. Le *chaoguan* 朝冠 ou chapeau officiel s'achève désormais par un gland qui varie en fonction du grade (cat. 81). Comme l'insigne il indique l'un des neufs rangs de fonctionnaire[2]. Tous ces éléments seront repris et mis en forme dans le *Huangchao liqi tushi* 皇朝禮器圖式 « Motifs illustrés des *paraphernalia* rituelles de la cour impériale », paru en 1766 et qui sera en usage jusqu'au début du xxᵉ siècle.

J-P. D.

---

2. Pour les sommets de coiffe, on distingue neuf types correspondant aux neuf classes de fonctionnaires avec en premier lieu le rubis puis le corail, le saphir, le lapis-lazuli, le cristal, le tridachna, l'or, le métal doré, le métal gravé qui correspondent aux neuf oiseaux pour les insignes civils, grue, faisan, paon, oie, lophophore, aigrette, canard, caille, oiseau gobe-mouches, qui correspondent aux neuf bêtes sauvages pour les insignes militaires et ainsi de suite.

45 | Tortue porte-stèle datée 682, relatant la concession d'un terrain pour une sépulture

Bronze doré
Époque Tang (618-907)
H. 5,6 cm ; l. 2,8 cm
Saint-Denis, musée d'Art et d'Histoire, MSD 8706419

46 | Brique moulée représentant une femme âgée devant une stèle funéraire

Terre cuite avec traces de polychromie
Époque Song (960-1278)
L. 25 cm ; H. 16,5 cm
Saint-Denis, musée d'Art et d'Histoire, MSD 8706712

47 et 48 | **Statues de deux dignitaires**

Grès

Époque Sui (581-618),
tombe n° 1 de Yingshan à Jiaxing,
fouilles de 1976

H. 98 cm

Jinan, musée provincial du Shandong

49 | Fonctionnaire militaire
Céramique funéraire avec traces de polychromie
Époque Tang (618-907), fin du VIIe siècle
H. 75 cm
Paris, MNAA-Guimet, MG 17077

50 | Fonctionnaire civil
Céramique funéraire avec traces de polychromie
Époque Tang (618-907), fin du VIIe siècle
H. 77 cm
Paris, MNAA-Guimet, MA 3380

51 et 52 Fonctionnaire civil et son épouse
Céramique funéraire émail du type Cizhou
Époque Jin (1115-1234),
fouilles de Yangjiayuan à Qufu, 1954
H. 30,5 cm et H. 28 cm
Jinan, musée provincial du Shandong

53 **Portrait du vénérable Qi Jiguang (1528-1587), célèbre stratège, auteur de plusieurs ouvrages militaires**
Encre et couleurs légères sur soie, époque Ming (1368-1644)
H. 154 cm ; l. 81 cm
Jinan, musée provincial du Shandong

54 | **Portrait du vénérable Wen Yi**
Encre et couleurs légères sur papier
Époque Ming (1368-1644)
H. 27,7 cm ; l. 22 cm
Paris, MNAA-Guimet, MA 3434

55 | **Portrait du vénérable Liu Han,**
secrétaire d'État (troisième génération)
Encre et couleurs légères sur papier
Époque Ming (1368-1644)
H. 28 cm ; l. 23 cm
Paris, MNAA-Guimet, MA 3435

56 | Portrait du vénérable Qian Xia
(quatrième génération)

Encre et couleurs légères sur papier
Époque Ming (1368-1644)
H. 28,8 cm ; l. 22,5 cm
Paris, MNAA-Guimet, MA 3436

125

57 | **Portrait du vénérable Liu Fengquan**
Encre et couleurs légères sur soie
Époque Ming (1368-1644)
H. 24 cm ; l. 20 cm
Paris, MNAA-Guimet, MA 3440

58 | **Portrait d'un vénérable tenant une tablette**
Encre et couleurs légères sur soie
Époque Ming (1368-1644)
H. 26,7 cm ; l. 22 cm
Paris, MNAA-Guimet, MA 3438

59 Portrait du vénérable Liu Xin
(dixième génération)
Encre et couleurs légères sur soie
Époque Ming (1368-1644)
H. 26,5 cm ; l. 22,2 cm
Paris, MNAA-Guimet, MA 3437-1

60 | Portrait du vénérable Liu Lian
(onzième génération)

Encre et couleurs légères sur soie

Époque Ming (1368-1644)

H. 26,5 cm ; l. 22,2 cm

Paris, MNAA-Guimet, MA 3437-2

61 | Portrait du vénérable Zhen Zhai

Encre et couleurs légères sur soie

Époque Ming (1368-1644)

H. 26,3 cm ; l. 23,5 cm

Paris, MNAA-Guimet, MA 3441

62 | Portrait d'un vénérable tenant une boîte
Encre et couleurs légères sur soie
Époque Ming (1368-1644)
H. 26,7 cm ; l. 22 cm
Paris, MNAA-Guimet, MA 3439

63 et 64 | Portrait d'un vénérable et portrait de son épouse

Encre et couleurs légères sur papier

Époque Ming (1368-1644)

H. 25,9 cm ; l. 20,7 cm et H. 25,8 cm ; l. 20,6 cm

Paris, MNAA-Guimet, MA 3442 et 3443

65 et 66 | Portrait d'un vénérable et portrait de son épouse
Encre et couleurs légères sur papier
Époque Qing (1644-1911)
H. 28,9 cm ; l. 22,4 cm et H. 28,7 cm ; l. 19,9 cm
Paris, MNAA-Guimet, MA 3444 et 3445

67 et 68 | Portrait du vénérable Liu Zhong, gouverneur de Jianshan
(treizième génération) et portrait de son épouse la dame Zhao

Encre et couleurs légères sur papier

Époque Qing (1644-1911)

H. 27,3 cm ; l. 21 cm et H. 27,4 cm ; l. 20,7 cm

Paris, MNAA-Guimet, MA 3446 et 3447

69 et 70 | Portrait de Liu Shou (quatorzième génération)
et portrait de son épouse la dame Tong

Encre et couleurs légères sur papier
Époque Qing (1644-1911)
H. 27,1 cm ; l. 21,1 cm et H. 26,9 cm ; l. 21,3 cm
Paris, MNAA-Guimet, MA 3448 et 3449

71 et 72 | Portrait de Liu Wenyao (seizième génération)
et portrait de son épouse la dame Zhu

Encre et couleurs légères sur papier

Époque Qing (1644-1911)

H. 26,4 cm ; l. 20,4 cm et H. 26,4 cm ; l. 20,2 cm

Paris, MNAA-Guimet, MA 3450 et 3451

73 et 74 | Portrait de Liu Wenyao (seizième génération)
et portrait de son épouse la dame Zhu (autre version)

Encre et couleurs légères sur papier
Époque Qing (1644-1911)
H. 27,3 cm ; l. 21,2 cm et H. 27,1 cm ; l. 21,2 cm
Paris, MNAA-Guimet, MA 3452 et 3453

75 Portrait de quatre vénérables accompagnés
de leurs épouses

Encre et couleurs légères sur soie
Époque Qing (1644-1911), daté 1745
H. 105 cm ; l. 134,5 cm
Munich, Staatliches Museum für Völkerkunde

76 Robe officielle de l'un des descendants
de Confucius
Soie avec ornementation brodée
Époque Ming (1368-1644)
H. 140 cm ; l. de la taille 74 cm
Jinan, musée provincial du Shandong

Soie avec ornementation brodée avec fil d'or

Époque Ming (1368-1644)

H. 119 cm ; l. des manches 108 cm

Jinan, musée provincial du Shandong

78 Robe officielle de l'un des descendants
de Confucius
Soie avec dragons brodés avec fil d'or
Époque Qing (1644-1911)
H. 140 cm ; l. de la taille 74 cm
Jinan, musée provincial du Shandong

79 | Insigne d'un officiel civil de premier rang

Satin de soie brodé et appliqué, filé d'or et filé de plumes de paon

Époque Qing, période Kangxi (1662-1722)

H. 33 cm ; l. 32,5 cm

Paris, MNAA-Guimet, donation K. Riboud, MA 5795

80 | Insigne de la haute noblesse impériale destiné à une femme

Satin de soie brodé et appliqué et filé d'or

Époque Qing, fin de la période Qianlong (1760-1795)

D. 29,5 cm

Paris, MNAA-Guimet, donation K. Riboud, MA 5796

81 | **Coiffure de cour d'hiver, avec plumet**
Fourrure et retors de soie, doublure de toile de coton,
plumes de paon et papier
Époque Qing, XIXᵉ siècle
H. 22 cm ; D. 28 cm
Paris, MNAA-Guimet, collection K. Riboud, AEDTA nº 3112

82 | **Couronne princière**

Réplique d'un modèle porté par les princes feudataires
de l'Antiquité, toit incliné avec neuf rangs de perles
indiquant le statut du personnage

Or, pierres semi-précieuses et soie

Époque Ming, fin du XIVᵉ siècle

Tombe de Zhu Tan à Jiulongshan, fouilles de 1971

H. 22 cm ; l. maxi. 49,4 cm

Jinan, musée provincial du Shandong

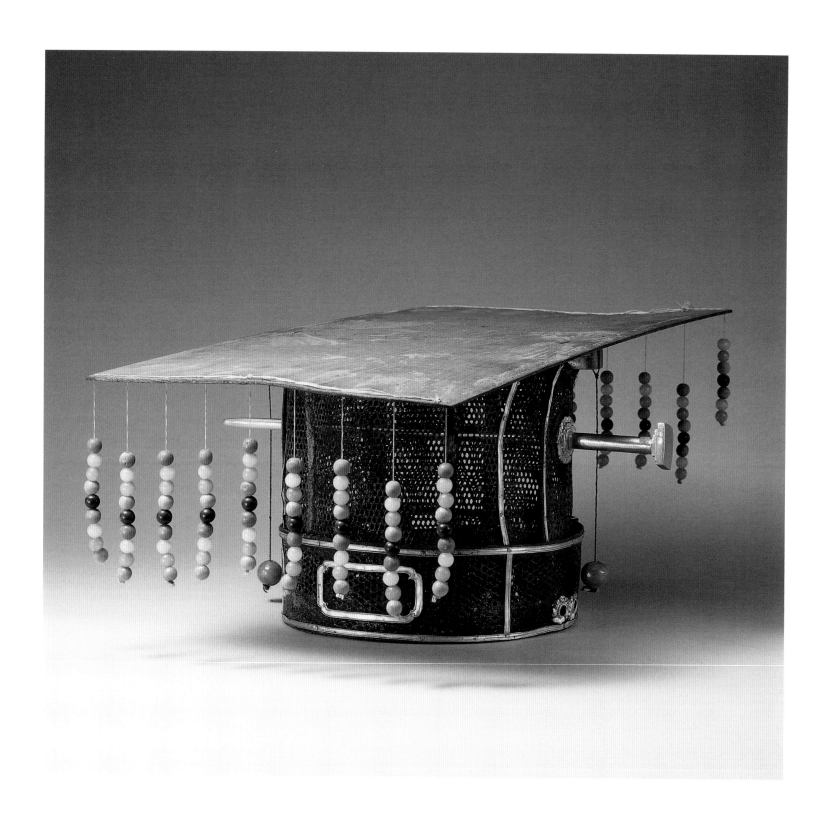

83 | Bonnet cérémoniel

Initialement fabriqué à l'aide de lanières de cuir assemblées
sur une armature de bambou réunies par un bandeau
et réservé à la haute noblesse, les rangs de perles indiquant
le statut du personnage

Or, pierres semi-précieuses et soie

Époque Ming, fin du XIVe siècle

Tombe de Zhu Tan à Jiulongshan, fouilles de 1971

H. 22 cm ; D. 17,5 cm

Jinan, musée provincial du Shandong

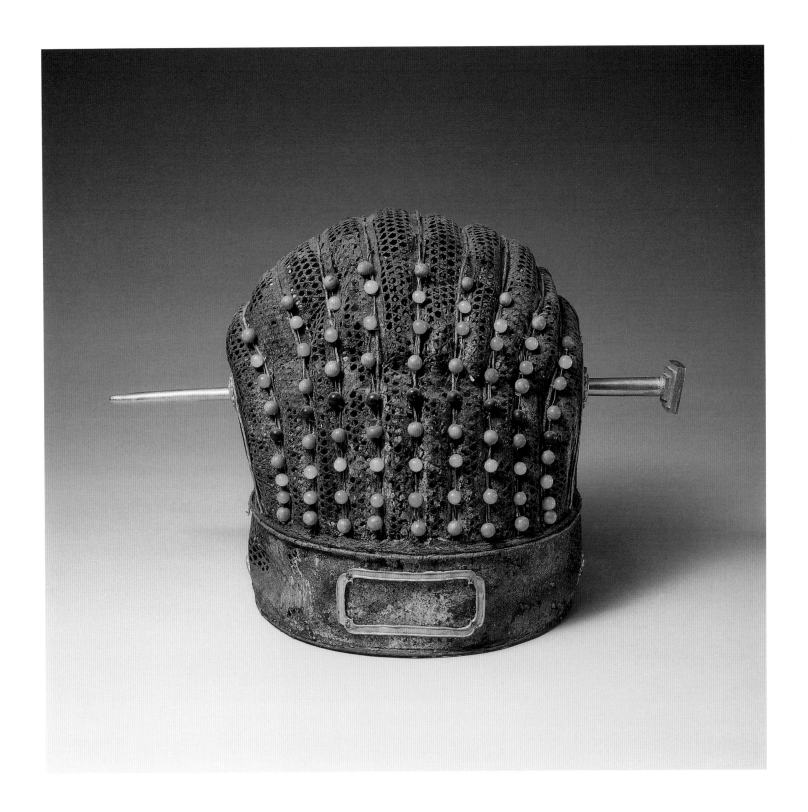

84 | Boucle en forme de médaille polygonale flanquée de deux oreillettes

Or et trente-trois pierres, turquoises, saphirs, rubis, améthyste et perles

Époque Ming, fin du XIVe siècle

Tombe de Zhu Tan à Jiulongshan, fouilles de 1971

H. 10 cm ; l. 20,6 cm

Jinan, musée provincial du Shandong

85 | Ceinture composée de vingt plaques ajourées cerclées de métal

Or et jade

Époque Ming, fin du XIVe siècle

Tombe de Zhu Tan à Jiulongshan, fouilles de 1971

H. d'une plaque 2,6 cm ; l. maxi. 6,6 cm

Jinan, musée provincial du Shandong

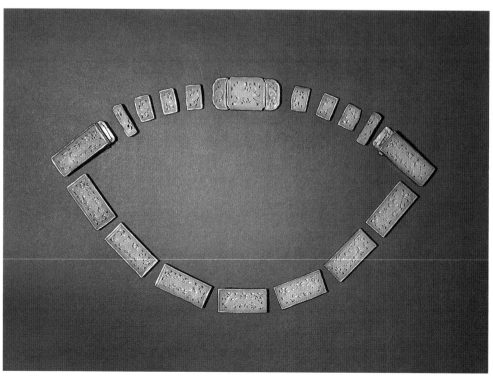

86 | Ornement

Avec un crochet au sommet suivi de trois ensembles de plaques,
heng, *yu* et *ju*, *chongya* et *huang*, décorées de dragons et de nuages
réunies par des rangs de perles

Jade et or

Époque Ming, fin du XIVe siècle

Tombe de Zhu Tan à Jiulongshan, fouille de 1971

H. 75 cm

Jinan, musée provincial du Shandong

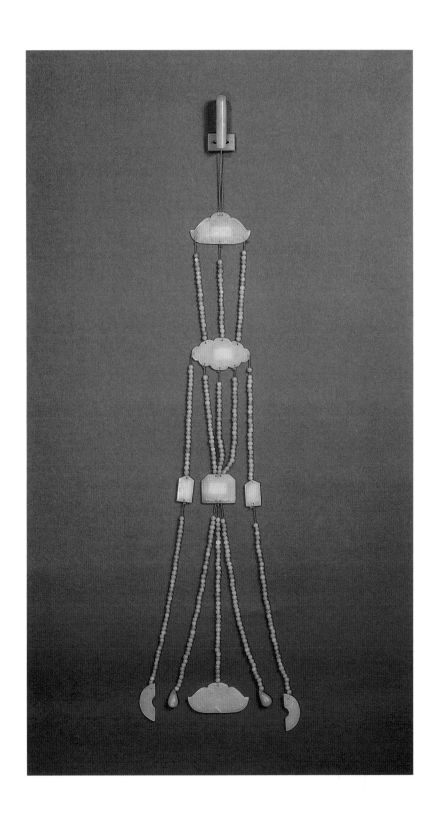

87 | **Ornement**

À décor de dragons affrontés et finement ciselés
avec chaînette ajourée

Jade blanc veiné de noir

Époque Song (960-1278)

H. 17 cm ; D. 11,5 cm

Paris, MNAA-Guimet, MG 18393

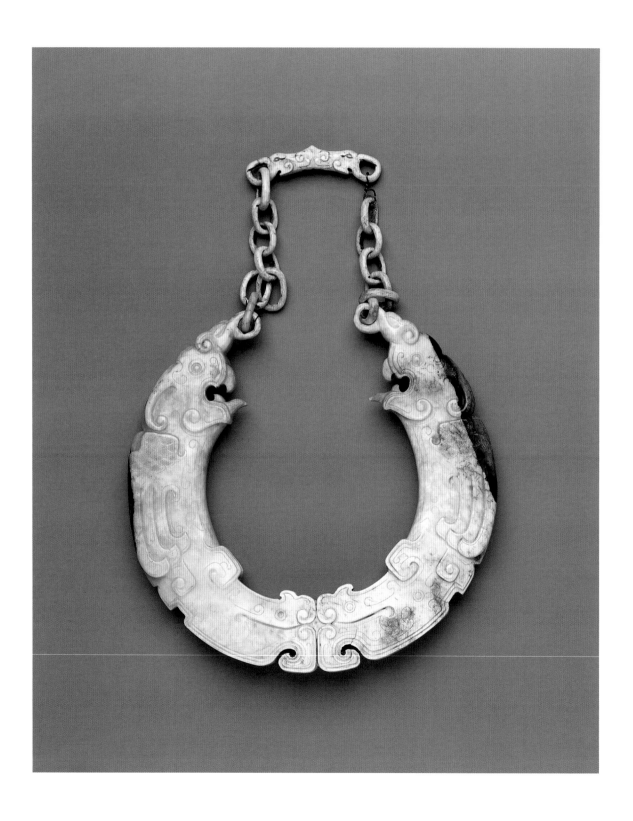

88 | **Ornement**

À décor archaïsant de dragons affrontés
et masque de *taotie*

Jade vert

Époque Qing (1644-1911)

D. 15,5 cm

Paris, MNAA-Guimet, MG 18399

89 | Insigne honorifique

Sceptre *ruyi* à décor de motifs *gu*,
sorte de grains hémisphériques

Jade vert

Époque Qing (1644-1911)

L. 45 cm

Paris, MNAA-Guimet, MG 8274

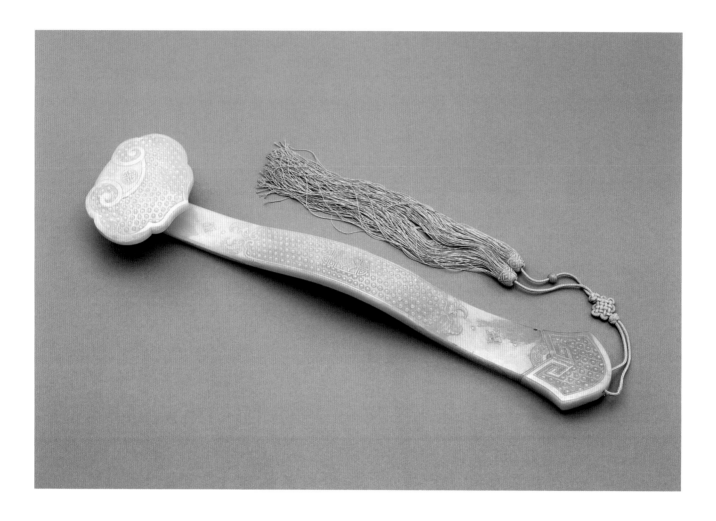

90 | *Wenchangdi jun,* « dieu de la littérature »
Assis sur un rocher, un sceptre *ruyi* à la main
Porcelaine blanche du Fujian
Époque Qing, période Kangxi (1662-1722)
H. 34 cm
Paris, MNAA-Guimet, G 4903

Jean-Paul Desroches

Les hauts lieux de culte du sage parfait

BIEN QU'IL PRÔNE l'agnosticisme durant toute sa vie, Confucius va passer pour le fondateur d'une religion. Ce paradoxe s'effectue selon un long processus que l'on peut déceler à Qufu 曲阜 – la ville où il vécut, enseigna et mourut –, en particulier dans trois hauts lieux devenus des haltes incontournables de tout itinéraire confucéen : la tombe, le temple et la résidence des ses descendants.

La tombe (cat. 107-120)

Après sa disparition, ses amis et ses disciples vont lui rendre un culte funéraire. Attachés aux valeurs de son enseignement, ils témoignent d'une grande piété. Ses descendants, ainsi que ses fidèles, vont vouloir être inhumés auprès de lui. C'est le point de départ du Konglin 孔林, le cimetière de la « Forêt de la famille Kong », également nommé « Forêt du sage » Shenglin 聖林 ou encore « Forêt du sage parfait » Zhishenglin 至聖林.

Ce site, installé dans la banlieue nord de Qufu, connut des débuts fort modestes. Quand Confucius mourut en 479 avant notre ère, « les larmes se mirent à couler dans la ville de Lu lorsqu'on le mit en terre », rapporte, au Ier siècle avant notre ère, l'historien Sima Qian. Au commencement, il n'y eut probablement qu'un simple tumulus élevé par ses proches. Zigong 子貢, l'un de ses disciples, construisit une maisonnette, où, dit-on, il aurait séjourné six ans à veiller la sépulture de son maître. L'empereur Wu des Han 漢武帝 (141-87), conseillé par son entourage, entreprend à son tour l'aménagement du lieu que les dynasties suivantes amélioreront, plantant des arbres, dressant des stèles, bâtissant des sanctuaires. Sous les Ming (1368-1644), la superficie du cimetière atteint déjà cent vingt hectares et passera à deux cents sous le règne de Kangxi (1662-1722). De nos jours, le Konglin est assurément la plus vaste nécropole consacrée à une même famille.

L'agencement du site, bien qu'il ait été réalisé sur une longue période, garde toute sa cohérence. La voie d'accès est parfaitement droite, bordée de chaque côté de pins séculaires et scandée de portiques (cf. plan 1-3 et cat. 107-111) créant une atmosphère majestueuse. Le complexe funéraire est entièrement muré d'une enceinte de couleur pourpre. À l'intérieur, une fois la porte franchie, le lieu est empreint

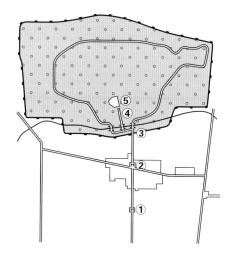

La « Forêt de la famille Kong »

de gravité et de mystère en raison du silence et de la pénombre qui y règnent. Au cœur de ce cadre boisé, se dessine une allée avec, au loin, la silhouette sombre d'un édifice. Après avoir traversé la rivière Zhu 洙水 et bifurqué vers l'ouest, on pénètre dans un enclos frais et ombragé, là où précisément est installée la tombe du sage (cf. plan 4 et 5 et cat. 112-120). Il repose sous un tumulus précédé d'une stèle et d'un autel en pierre érigés en 1443. La qualité du lieu est impressionnante. Sont enterrés là non seulement Confucius, mais également Kong Ji 孔伋 le philosophe, Kong Rong 孔融 l'écrivain, Kong Shangren 孔尚任 le spécialiste du théâtre, Kong An Guo 孔安國 l'exégète des classiques, Kong Guangsen 孔廣森 le mathématicien, ainsi que leurs enfants et petits-enfants. Au total, cent mille tombes gisent dans ce cimetière, dont plus de cinq mille comportent encore leurs stèles gravées. Certains de ces monuments ont été conçus par des calligraphes confirmés tels Zhao Mengfu 趙孟頫 (1254-1322), Li Dongyang 李東陽 (1480-1567), Weng Fanggang 翁方綱 (1777-1818), He Shaoji 何紹基 (1799-1849), Ruan Yuan 阮元 (1764-1849) ou encore Kang Youwei 康有為 (1858-1929). On remarque aussi de très nombreuses sculptures en pierre qui ornent les *shendao* 神道, littéralement ces *voies des âmes*, allées funéraires bordées de gardiens, de fonctionnaires civils et militaires, d'animaux réels ou mythiques…, constituant un véritable musée en plein air. Soixante-seize générations reposent ainsi dans cette nécropole, ultime aboutissement du concept confucéen du culte des ancêtres.

Le temple (cat. 121-143)

Le culte des ancêtres, toutefois, ne se limite pas au seul aménagement de la tombe. Il nécessite un ensemble de pratiques qui réclament un lieu spécifique : le temple. Ainsi, quelques années après la disparition de Confucius, le premier sanctuaire ancestral va voir le jour, installé dans sa propre maison. Ses effets personnels seront pieusement recueillis et dès 201 avant notre ère, Liu Bang 劉邦 (256-195), le fondateur des Han, fait nommer un officier spécialement affecté au service du culte, une charge qui va incomber tout naturellement à Kong Teng 孔滕, l'aîné de la neuvième génération. Un peu plus tard, l'empereur Wu des Han, en 135 avant notre ère, se rend en grande pompe à Qufu pour conduire une cérémonie solennelle. Il officialise ainsi le lieu de culte. Des Han aux Tang, à sept reprises, Confucius sera gratifié de nouveaux titres toujours plus élogieux, de duc *gong* 公, nommé ainsi la première année de notre ère, il est élevé au rang de marquis *hou* 侯 en 92, puis de prince *wang* 王 en 739. Sa promotion continue et désormais, il sera représenté avec la couronne des princes, le *mianguan* 冕冠, à neuf pendeloques. Le fondateur des Ming, Zhu Yuanzhang 朱元璋 remet au goût du jour la doctrine du Maître en disant que « son enseignement va de l'avant, traversant l'histoire et apportant l'harmonie dans le cœur des hommes ». À cette époque, les aménagements du temple seront très nombreux. Ils structurent l'espace et lui donnent, à quelques détails près, l'aspect que nous lui connaissons. L'ultime remaniement aura lieu à la fin des Qing sous le règne de Guangxu 光緒 (1875-1908).

Le temple de Confucius se situe dans le secteur sud-ouest de la vieille ville de Qufu, dans le quartier de Queli 闕里 (cat. 121). Parmi les différents sanctuaires dédiés au sage au cours de l'histoire, il apparaît non seulement comme le plus ancien, le plus vaste mais également comme celui qui va servir de modèles aux autres. Tous ses bâtiments sont ordonnés le long d'un axe nord-sud qui mesure plus de six cent cinquante mètres, un kilomètre si on inclut les aménagements extérieurs situés au sud. Sa superficie totale dépasse les neuf hectares. Son architecture imposante semble calquée sur celle des palais impériaux. On dénombre quelque cinquante-quatre portiques et quatre cent soixante-six salles, couvertes de tuiles vernissées jaunes et vertes, qui surgissent au milieu de douze cents conifères plusieurs fois centenaires.

En partant du sud et en se dirigeant vers le nord, les édifices se succèdent ainsi : avant de parvenir au temple proprement dit, on doit franchir une enceinte fortifiée ainsi que plusieurs portes et portiques, puis un pont traversant

une pièce d'eau semi-circulaire. Finalement, la « Porte de l'étoile »
Lingxingmen 欞星門 marque l'entrée de ce deuxième haut lieu du
confucianisme (cf. plan 1 et cat. 124). À partir de là, va se déployer
une chaussée monumentale parfaitement rectiligne, rythmée de portes
à chaque franchissement de cour et bientôt flanquée de deux allées
latérales pareillement aménagées. Dans la troisième cour, trois ponts
enjambent un canal : la rivière Bi, Bishuihe 璧水河 (cf. plan 2 et cat.
127). On finit par accéder au premier grand temple, haut de vingt-cinq
mètres, appelé « Grande salle de la constellation des Érudits » Kuiwenge 奎文閣 (cf. plan 3 et cat. 128). Derrière ce sanctuaire, on découvre
une série de treize pavillons abritant des stèles impériales des Tang aux
Qing (cf. plan 4). Au-delà de cette forêt de pierres, on parvient au secteur le plus sacré qui forme un enclos rectangulaire avec, à l'est et à
l'ouest, deux axes indépendants. Dans la partie occidentale, deux petits
pavillons sont consacrés au culte des parents de Confucius (cf. plan 5).
La partie orientale revêt sensiblement la même configuration avec trois
vestiges notoires : l'emplacement de la maison du sage, le vieux puits
Gujing 故井 et le fameux mur Lubi 魯壁 où les écrits confucéens
auraient été dissimulés pendant les persécutions de la dynastie Qin à la
fin du IIIe siècle avant notre ère (cf. plan 6 et cat. 136). L'axe du
centre, le plus magistral, conduit au Dachengdian 大城殿 « Grand
temple du Saint », une énorme bâtisse de quarante-sept mètres de façade. Avant d'y accéder, on montre un genévrier qui est censé avoir été
planté par Confucius lui-même, puis la « Terrasse de l'abricotier » Xingtan 杏壇 où, selon le philosophe Zhuangzi 莊子, le Maître venait enseigner à cet endroit précis (cf. plan 7 et cat. 134). Devant le temple,
s'étend une vaste terrasse, entourée d'une balustrade, conçue pour
accueillir les performances des danseurs et des musiciens qui animent
la liturgie. Le temple s'orne en façade de magnifiques colonnes de
marbre blanc décorées de vigoureux dragons sculptés en ronde bosse
(cf. plan 8 et cat. 131). L'intérieur est divisé en neuf travées avec, au
centre, la statue de Confucius sous un dais et à ses côtés son petit-fils
Kong Ji, Mencius, le premier grand philosophe de la lignée confucéenne, ainsi que ses deux disciples préférés Yan Hui 顏回 et Zeng Shen
曾參. Plus loin, sur les bas-côtés, sont alignés les « Douze », c'est à dire
onze disciples et le philosophe néoconfucéen Zhu Xi 朱熹. Devant
l'icône du Maître, un autel est dressé où les empereurs venaient hono-

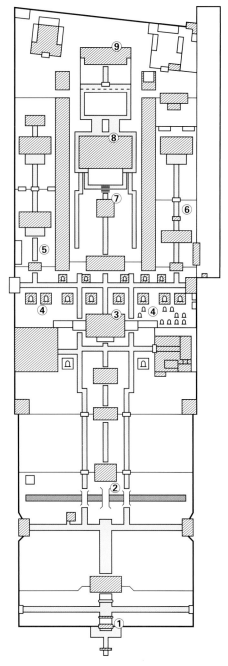

Temple de Confucius

rer le sage. Parmi les objets rituels les plus fameux, subsistent cinq vases sacrificiels datant de 85 après notre ère et
dix bronzes archaïques offerts par l'empereur Qianlong en 1771. À l'arrière, ont été édifiés divers bâtiments dont le
plus intéressant, le Shengjidian 聖蹟殿, recèle les principaux vestiges iconographiques du sage, c'est-à-dire ses portraits : un premier d'après Gu Kaizhi 顧愷之 gravé en 1095, un second d'après Wu Daozi 吳道子 gravé en 1118, et
les cent cinq images commentées retraçant sa légende hagiographique gravées en 1592 (cf. plan 9).

La résidence des descendants

La résidence des descendants est le troisième haut lieu de pèlerinage au pays du sage parfait. À proprement parler, il ne s'agit pas d'un lieu saint, comme le sont la tombe et le temple, mais du lieu de mémoire du clan Kong qui, depuis plus de deux millénaires, règne sur la cité. La famille, en effet, fut anoblie dès les Han et parallèlement aux nominations qui gratifiaient son fondateur, ses descendants allaient en retour bénéficier de titres de plus en plus prestigieux : « Prince des lettres » sous les Tang, « Prince héritier du sage » sous les Song, etc. Ce renforcement de leur position sociale va se concrétiser par l'extension de leur domaine. Les annales mentionnent qu'en 1055, le quarante-sixième descendant agrandit de façon significative sa demeure avec l'appui du pouvoir impérial. En 1377, le cinquante-sixième descendant rebâtit une nouvelle résidence grâce aux subsides qu'il reçoit des Ming. En 1488, un grave incendie ravage le centre de Qufu, le temple et la maison des Kong seront reconstruits avec l'aide de l'État. En 1522 et 1567, l'ensemble est complètement remanié et revêt l'aspect que nous lui connaissons.

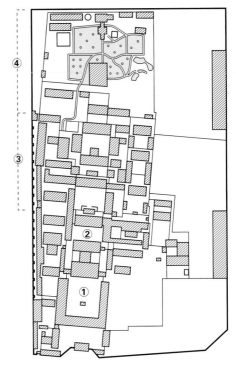

La résidence des descendants

La procession des édifices se déroule dans un enclos rectangulaire de plus de sept hectares dans lequel on compte neuf cours et quatre cent quatre-vingts salles. On entre au sud ; passées la porte et une première cour étroite, on pénètre dans une nouvelle cour, cette fois beaucoup plus vaste, flanquée de bâtiments latéraux avec au centre un portique (cf. plan 1). Il s'agit de dépendances qui autrefois abritaient les gardes et les coursiers ainsi que tout un personnel subalterne lié au service des sceaux, des décrets et des archives. Au-delà de cette zone, sont alignées trois grandes salles, *datang* 大堂, la salle d'entrée la plus solennelle communiquant avec la salle médiane par un couloir alors que, pour atteindre la dernière, il faut traverser une cour ornée de « pierres de lac » aux formes étranges (cf. plan 2). Ce secteur, le plus officiel, était réservé au règlement des affaires administratives importantes. Ensuite, on atteint la partie résidentielle avec des constructions variées : théâtre, sanctuaire bouddhique, temple des ancêtres, et même une sorte de donjon fortifié, ultime refuge en cas d'émeute. À l'est comme à l'ouest, on trouve de nombreuses salles d'étude, des bibliothèques, des salles de lecture, de calligraphie, des chambres d'hôtes (cf. plan 3). Les jardins, au nord, sont des lieux de détente qui, sous leurs ombrages, abritent des lacs, des rocailles, des serres, des kiosques (cf. plan 4).

Cet ensemble architectural ordonné autour de son axe central, avec une évidente volonté de symétrie, se conforme aux principes du système patriarcal confucéen. Chaque construction répond à une fonction bien spécifique, dans un ordre hiérarchique strict et immuable qui va de l'essentiel au secondaire. La partie médiane de la résidence est donc le fait du fils aîné de la descendance directe de Confucius. Cette position centrale exprime son statut au sein du clan. Dans la partie orientale, on trouve les appartements du second fils. Elle le distingue également du reste de la parenté. La séparation entre le *yamen* administratif et le secteur résidentiel marque la distinction entre le monde privé et les affaires d'État, les femmes étant cantonnées dans l'univers intérieur. Quant aux dénominations mêmes des lieux, elles sont empreintes du vocabulaire confucéen « Salle de la patience fidèle », « Salle du cœur apaisé », « Salle de l'étude de l'ouest ». Il s'agit bien d'une architecture qui tend à matérialiser un concept éthique.

Objets de culte

QUFU VA DEVENIR, au cours des siècles, une ville sainte, le cœur du confucianisme religieux. L'étincelle initiale fut donnée par les proches du sage et en particulier par le duc Ai de Lu 魯哀公 qui officialise le culte. En effet, il va être le premier, l'année qui suit la disparition du philosophe, à le célébrer en tant que Nishanfu 尼山父 « Père de la montagne Ni ». Les dynasties impériales successives, au gré de leurs intérêts respectifs, vont abonder dans les titres honorifiques, le plaçant au pinacle des sages. Avec les Tang, pour la première fois, un temple est fondé hors de la province natale de Confucius, à la capitale Chang'an ; bientôt d'autres suivront, associés à la création de collèges d'enseignement. Sous les Song, l'intérêt pour le confucianisme ne fera que croître, stimulé par le développement des philosophies syncrétiques. Beaucoup de lettrés, imprégnés des expériences religieuses du bouddhisme, proposeront une approche rénovée des textes, insistant plus spécialement sur la notion d'ordre universel contenue dans l'enseignement du maître. Ils soulignent l'analogie que Confucius établit entre une puissance céleste régulatrice de l'univers et la vertu du prince. Ainsi, le sage chemine-t-il avec ses disciples vers le panthéon des dieux chinois. Élevé au rang d'une doctrine d'État, le confucianisme bénéficie de l'appui constant des Ming et des Qing qui multiplient les sanctuaires. La crédulité populaire ne tarde pas à s'en emparer, métamorphosant le sage en saint et créant une iconographie souvent inspirée d'images anciennes. Bien que ce corpus ait été interdit au début du XVIe siècle, il va resurgir, avec d'autant plus de vigueur, au siècle suivant. Trois des exemples les plus fameux sont présentés ici. Ils proviennent de Qufu et figurent le Maître soit sous les traits du ministre de la Justice de la principauté de Lu, soit entouré de deux de ses disciples Yan Hui 顏回 et Zeng Shen 曾參, soit enseignant dans le style de Li Tang 李唐 (cat.93 à 95). Les dix bronzes des dynasties Shang et Zhou, initialement au palais impérial de Pékin, remplacèrent, en 1771, les bronzes d'origine datant des Han (cat. 96-105). En effet, Qianlong 乾隆 qui, au cours de son règne (1736-1795), se rendit à Qufu à huit reprises, les offrit au soixante et onzième descendant, lors de son troisième voyage. Ces cérémonies d'offrandes, semblables à des banquets, nécessitaient de la vaisselle spécifique et plus elle était ancienne, mieux elle permettait aux officiants de communiquer avec leurs ancêtres. Les morts ont les mêmes besoins que les vivants et il est donc opportun de leur préparer des mets. En renouvelant cette vaisselle, l'empereur montre tout le prix qu'il attache au culte de Confucius. Toutefois, les œuvres échapperont de justesse à un incendie en 1885. En 1907, lors de sa mission, Édouard Chavannes (1865-1918) rapportera un ensemble de quarante photographies, présenté pour la première fois au public, qui évoque ces hauts lieux du confucianisme (cat. 106-144), alors que tous les édifices étaient encore en fonction, auquel viennent s'ajouter quelques prises de vues réalisées par les missions de Victor Segalen (1878-1919) et de Paul Pelliot (1878-1945) (cat. 145-152). **J-P. D.**

91 | **Miroir figurant Confucius rencontrant l'ermite Yong Qiqi**

Bronze

Époque Tang (618-907), début du Xᵉ siècle

D. 11,7cm

Saint-Denis, musée d'Art et d'Histoire, MSD 8706816

92 | **Portrait de Confucius**

Estampage à l'encre rouge relevé sur papier en 1691 par Chen Fangyou, d'après une peinture attribuée à Wu Daozi (685-758) gravée sur pierre en 1118

Époque Qing, période Kangxi, daté 1691, Pékin

H. 73 cm ; l. 34,5 cm

Paris, Bibliothèque nationale de France, Cabinet des Estampes, DF 8 rés

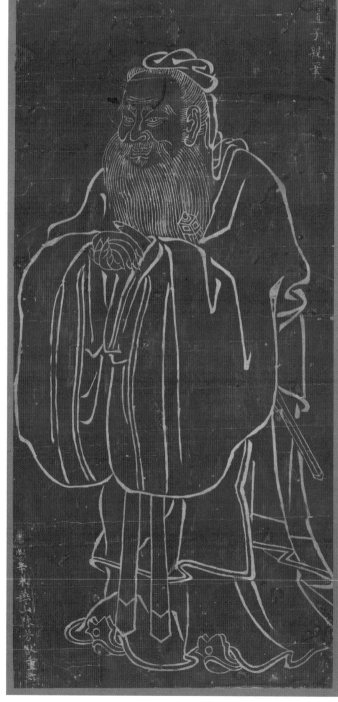

94 **Portrait de Confucius avec deux de ses disciples, Yan Hui et Zeng Shen**

Peinture sur soie, montée en rouleau, lavis d'encre avec le texte des *Entretiens* calligraphié en caractères minuscules sur les vêtements des trois personnages, en bas à gauche colophon « transcrit avec respect par le fils aîné Wu Xingzhao, le deuxième mois du printemps de la troisième année ? »

Époque Ming (1368-1644)

H. 143 cm ; l. 75,5 cm

Qufu, Direction du patrimoine et des vestiges culturels

95 **Portrait de Confucius enseignant à ses disciples**

Peinture sur soie, encre et couleurs légères, signée Li Tang (1050-1130) avec quatre cachets vermillon, montée en rouleau

H. 167 cm ; l. 85 cm

Époque Ming (1368-1644)

Qufu, Direction du patrimoine et des vestiges culturels

96 | *Mugong ding,* **marmite tripode pour les offrandes de ragoût de viande**

Bronze inscrit en sept caractères sur deux rangs, avec frise de *taotie*
Époque Shang, période Yin (XIVe-XIe siècle avant notre ère)

Couvercle en bois de santal et bouton en jade
Époque Qing, période Qianlong, antérieur à 1771

H. 25 cm ; D. 24,5 cm

Qufu, Direction du patrimoine et des vestiges culturels

97 | *Yan*, marmite tripode à deux niveaux pour cuire à la vapeur

Bronze, frise de *taotie* et masques en relief

Époque Shang, période Yin (XIVe-XIe siècle avant notre ère)

Couvercle en bois de santal et bouton en jade

H. 39 cm ; D. 27 cm

Qufu, Direction du patrimoine et des vestiges culturels

98 | *Fuyi you*, vase couvert pour conserver le vin

Bronze inscrit, frise de *taotie*

Époque Shang, période Yin (XIVe-XIe siècle avant notre ère)

H. 33 cm ; D. 25 cm

Qufu, Direction du patrimoine et des vestiges culturels

99 | *Yagongyi gu*, calice pour boire le vin

Bronze inscrit, décor de *taotie* avec arêtes saillantes

Époque Shang, période Yin (XIVe-XIe siècle avant notre ère)

H. 32 cm ; D. 21 cm

Qufu, Direction du patrimoine et des vestiges culturels

100 | *Gui*, récipient à anses pour les offrandes de céréales

Bronze avec masques de *taotie*

Époque Zhou (1050-221 avant notre ère)

H. 24 cm ; l. 37 cm

Qufu, Direction du patrimoine et des vestiges culturels

101 | **_Dou_, présentoir avec couvercle en forme de coupe
pour les offrandes de viandes rôties**
Bronze, décor de dragons et de phénix rehaussé d'incrustations en or
Époque Zhou (1050-221 avant notre ère)
H. 26 cm ; l. 24 cm
Qufu, Direction du patrimoine et des vestiges culturels

102 | **_Bao fu_, présentoir pour les offrandes de céréales**
Bronze inscrit
Époque Zhou (1050-221 avant notre ère)
H. 9,5 cm ; L. 34 cm ; l. 22 cm
Qufu, Direction du patrimoine et des vestiges culturels

103 | **_Xi zun_, verseuse zoomorphe pour le vin**
Bronze inscrit
Époque Zhou (1050-221 avant notre ère)
H. 29 cm ; L. 39 cm
Qufu, Direction du patrimoine et des vestiges culturels

104 | **_Bo yi_, vase à offrandes**
Bronze inscrit
Époque Zhou (1050-221 avant notre ère)
Couvercle en bois de santal et bouton en jade
Époque Qing, période Qianlong, antérieur à 1771
H. 16 cm ; l. 29 cm
Qufu, Direction du patrimoine et des vestiges culturels

105 | ***Li*, marmite tétrapode pour cuire les offrandes de ragoût de viandes**
Bronze
Époque Zhou (1050-221 avant notre ère)
Couvercle en bois et bouton en jade
Époque Qing, période Qianlong, antérieur à 1771
H. 25 cm ; D. 27 cm
Qufu, Direction du patrimoine et des vestiges culturels

Itinéraires photographiques (1907-1914)

A ELLE SEULE, cette sélection de photographies illustre bien à quel point la Chine fut, au début du XXème siècle, un domaine de recherche privilégié pour toute une génération d'archéologues français. Sans pour autant être exhaustive, elle permet déjà de citer trois fonds de photographies. Si Edouard Chavannes (1865-1918) y tient une place prépondérante, c'est non seulement par l'importance de la mission qu'il réalisa en 1907 au départ de Moukden dans une large partie de la Chine du Nord et du Centre, mais aussi parce qu'il fut le maître apprécié des sinologues français et étrangers les plus importants de cette période. Accompagné de Vasilij Alexeieff (1880-1951) et de Zhou son photographe chinois, il photographie le long de l'itinéraire qu'il s'était fixé, les monuments, les tombes, les paysages, la population et diverses scènes de la vie quotidienne. Il rapporte de cette mission de nombreux estampages et plus d'un millier de photographies, dont une cinquantaine concerne non seulement le temple et la sépulture de Confucius mais aussi la ville de Qufu, où il séjourna du 26 au 29 juin 1907.

Sur ses recommandations et ses conseils Victor Segalen (1878-1919) entreprend en 1914, entre son voyage de 1909 et ses excursions de 1917 autour de Nankin, une mission archéologique, le long d'un tracé joignant Pékin à la Chine du sud-ouest, accompagné d'Augusto Gilbert de Voisins (1877-1939) et de Jean Lartigue (1885-1940). Il rapporte également de nombreux estampages et un ensemble de plus de sept cents photographies essentiellement composé de paysages, de vues d'importants sites d'architectures funéraires et de sculptures.

Les zones géographiques couvertes par ces missions se recoupent en partie, à l'exception de celle dirigée par Paul Pelliot (1878-1945) de 1906 à 1909. Son itinéraire, de Kachgar à Pékin, en passant par le nord du désert du Taklamakan, coïncide avec celui d'autres archéologues étrangers investis dans la découvertes de sites encore inconnus, jalonnant le tracé septentrional de la route de la soie. Accompagné du Docteur Vaillant et du photographe Charles Nouette, Paul Pelliot rapporte plus de mille six cents photographies non seulement des sites qu'ils visitèrent mais également des vues de paysages et de scènes de la vie quotidienne.

Cette sélection de photographies, dans laquelle architecture et végétation se mêlent avec poésie dans une lumière printanière témoigne de l'importance des monuments élevés à la mémoire de Confucius.

J. G.

Titres et dates des photographies établis par Isabelle Willette

106 Edouard Chavannes

Shandong. Qufu, temple de Confucius, angle sud-est du Dachengdian
Mission Chavannes 26-29.06.1907
Paris, MNAA-Guimet, AP12650

La tombe

107 Edouard Chavannes

Shandong. Sépulture de Confucius, premier arc de triomphe au nord de la ville de Qufu

Mission Chavannes 26-29.06.1907
Paris, MNAA-Guimet, AP12630

107

108 | Edouard Chavannes

Shandong. Qufu, sépulture de Confucius, arc de triomphe Wanguchangchun
Mission Chavannes 26-29.06.1907
Paris, MNAA-Guimet, AP12631

109 | Edouard Chavannes

Shandong. Qufu, sépulture de Confucius, arc de triomphe Wanguchangchun
Mission Chavannes 26-29.06.1907
Paris, MNAA-Guimet, AP12642

110 | Edouard Chavannes

Shandong. Qufu, sépulture de Confucius, porte Zhishenglin
Mission Chavannes 26-29.06.1907
Paris, MNAA-Guimet, AP12632

111 | Edouard Chavannes

Shandong. Qufu, sépulture de Confucius, seconde porte
Mission Chavannes 26-29.06.1907
Paris, MNAA-Guimet, AP13651

108

109

110

111

112 | Edouard Chavannes

Shandong. Qufu, sépulture de Confucius, allée des animaux et des hommes de pierre
Mission Chavannes 26-29.06.1907
Paris, MNAA-Guimet, AP12633

113 | Edouard Chavannes

Shandong. Qufu, sépulture de Confucius, un des animaux de pierre
Mission Chavannes 26-29.06.1907
Paris, MNAA-Guimet, AP12635

114 | Edouard Chavannes

Shandong. Qufu, sépulture de Confucius, un des animaux de pierre
Mission Chavannes 26-29.06.1907
Paris, MNAA-Guimet, AP12634

115 | Edouard Chavannes

Shandong. Qufu, sépulture de Confucius, les deux hommes de pierre
Mission Chavannes 26-29.06.1907
Paris, MNAA-Guimet, AP12636

112

113

114

115

116

117

118

119

120 | Edouard Chavannes

Shandong. Qufu, sépulture de Confucius, tombe de Confucius
Mission Chavannes 26-29.06.1907
Paris, MNAA-Guimet, AP12641

120

121

124

122

123

125

121 | Edouard Chavannes

Shandong. Qufu, porte Queli en dehors du temple de Confucius
Mission Chavannes 26-29.06.1907
Paris, MNAA-Guimet, AP12945

122 | Edouard Chavannes

Shandong. Qufu, temple de Confucius, arc de triomphe Jinshengyuzhen
Mission Chavannes 26-29.06.1907
Paris, MNAA-Guimet, AP13769

123 | Edouard Chavannes

Shandong. Qufu, temple de Confucius, arc de triomphe Taiheyuanqi
Mission Chavannes 26-29.06.1907
Paris, MNAA-Guimet, AP12646

124 | Edouard Chavannes

Shandong. Qufu, temple de Confucius, porte Lingxing
Mission Chavannes 26-29.06.1907
Paris, MNAA-Guimet, AP13768

125 | Edouard Chavannes

Shandong. Qufu, temple de Confucius, arc de triomphe Zhishengfang
Mission Chavannes 26-29.06.1907
Paris, MNAA-Guimet, AP12647

126 | Edouard Chavannes

Shandong. Qufu, temple de Confucius, stèle colossale dans la cour qui précède le Kuiwenge
Mission Chavannes 26-29.06.1907
Paris, MNAA-Guimet, AP12645

127 | Edouard Chavannes

Shandong. Qufu, temple de Confucius, pont Bishui
Mission Chavannes 26-29.06.1907
Paris, MNAA-Guimet, AP12648

128 | Zhou

Shandong. Qufu, temple de Confucius, angle sud-ouest du Kuiwenge
Mission Chavannes 26-29.06.1907
Paris, MNAA-Guimet, AP13422

129 | Edouard Chavannes

Shandong. Qufu, temple de Confucius, bâtiment de Tongwenmen
Mission Chavannes 26-29.06.1907
Paris, MNAA-Guimet, AP12649

130 | Edouard Chavannes

Shandong. Qufu, temple de Confucius, porte Dacheng
Mission Chavannes 26-29.06.1907
Paris, MNAA-Guimet, AP13648

127

126

129

128

130

131 | Edouard Chavannes
**Shandong. Qufu, temple de
Confucius, colonnes de la
façade du Dachengdian**
Mission Chavannes 26-29.06.1907
Paris, MNAA-Guimet, AP12651

131

132 | Edouard Chavannes

Shandong. Qufu, temple de Confucius, gargouille de la terrasse du Dachengdian
Mission Chavannes 26-29.06.1907
Paris, MNAA-Guimet, AP12652

133 | Edouard Chavannes

Shandong. Qufu, temple de Confucius, arbre qui passe pour avoir été planté par Confucius
Mission Chavannes 26-29.06.1907
Paris, MNAA-Guimet, AP12653

134 | Edouard Chavannes

Shandong. Qufu, temple de Confucius, le Xingtan
Mission Chavannes 26-29.06.1907
Paris, MNAA-Guimet, AP12654

135 | Edouard Chavannes

Shandong. Qufu, temple de Confucius
Mission Chavannes 26-29.06.1907
Paris, MNAA-Guimet, AP13647

136 | Edouard Chavannes

Shandong. Qufu, temple de Confucius, puits de Confucius
Mission Chavannes 26-29.06.1907
Paris, MNAA-Guimet, AP12656

132

133

134

135

136

137 | Edouard Chavannes

Shandong. Qufu, temple de Confucius, salle des instruments de musique
Mission Chavannes 26-29.06.1907
Paris, MNAA-Guimet, AP12655

138 | Edouard Chavannes

Shandong. Qufu, temple de Confucius, pavillon latéral
Mission Chavannes 26-29.06.1907
Paris, MNAA-Guimet, AP13654

139 | Edouard Chavannes

Shandong. Qufu, temple de Confucius
Mission Chavannes 26-29.06.1907
Paris, MNAA-Guimet, AP13655

137

138

139

140	Edouard Chavannes	**141**	Edouard Chavannes	**142**	Edouard Chavannes	**143**	Edouard Chavannes
	Shandong. Qufu, temple de Confucius		**Shandong. Qufu, temple de Confucius**		**Shandong. Qufu, temple de Confucius, pavillon**		**Shandong. Taian, temple de Confucius**
	Mission Chavannes 26-29.06.1907		Mission Chavannes 26-29.06.1907		Mission Chavannes 26-29.06.1907		Mission Chavannes 19.06.1907
	Paris, MNAA-Guimet, AP13657		Paris, MNAA-Guimet, AP13658		Paris, MNAA-Guimet, AP13770		Paris, MNAA-Guimet, AP12802

140

141

142

143

Autres sites

144

145

146

147

148 | Sichuan. Chengdu, temple de Confucius, bâtiment principal
Mission Segalen 03.06.1914
Paris, MNAA-Guimet, AP262

149 | Sichuan. Chengdu, temple de Confucius, bâtiment principal
Mission Segalen 03.06.1914
Paris, MNAA-Guimet, AP263

150 | Sichuan. Chengdu, cour du temple de Confucius
Mission Segalen 03.06.1914
Paris, MNAA-Guimet, AP266

151 | Sichuan. Chengdu, Jingyanggong, bâtiment arrière
Mission Segalen 02.06.1914
Paris, MNAA-Guimet, AP261

148

149

150

151

152

Confucius et la licorne

Michael Leibold

Reflets et visions : Leibniz et Voltaire

Je ferai donc mettre sur ma porte un carton avec l'inscription « Agence de voyage pour la Chine », afin que chacun sache qu'il lui suffit de s'adresser à moi pour en connaître les plus récentes nouvelles.

Friedrich Wilhelm Leibniz[1]

Nos peuples occidentaux ont fait éclater dans toutes ces découvertes une grande supériorité d'esprit et de courage sur les nations orientales. Nous nous sommes établis chez elles, et très souvent malgré leur résistance. Nous avons appris leurs langues, nous leur avons enseigné quelques-uns de nos arts. Mais la nature leur avait donné sur nous un avantage qui balance tous les nôtres : c'est qu'elles n'avaient nul besoin de nous, et que nous avions besoin d'elles.

Voltaire[2]

Si c'est dans les dernières années du XVIe siècle que la Chine apparut à l'horizon de la conscience européenne, il fallut pourtant attendre la seconde moitié du XVIIe puis le XVIIIe siècle pour la voir devenir le miroir sans doute le plus étincelant et divers de l'identité du vieux continent. La fascination qu'elle se mit à exercer alors tenait en effet en ce que l'incursion européenne en Chine y avait découvert une culture et un État qui non seulement pouvaient apparemment se mesurer avec l'Europe, mais qui étaient également susceptibles de remettre du coup en question les fondements de la conscience religieuse et historique que les Européens avaient de leur propre culture. À ce titre, si la Chine fut essentiellement perçue comme une culture empreinte de confucianisme, ce fut d'abord le résultat d'une image qu'en avaient transmise les jésuites, laquelle était à son tour la conséquence de certaines visées stratégiques de l'esprit missionnaire. Gottfried Wilhelm Leibniz (1646-1716) et François-Marie Arouet, dit Voltaire (1694-1778), sont certainement les deux figures les plus considérables parmi les récepteurs de cette projection jésuite de la Chine et de la tradition confucianiste. Leibniz le protestant, qui avait conçu sa théodicée comme une remarquable réponse théologique à l'esprit des Lumières du *Dictionnaire historique et critique* de Pierre Bayle (1647-1705), et Voltaire, qui avait reçu une

---

1. Friedrich Wilhelm Leibniz, projet de lettre à la princesse Sophie Charlotte de Brandebourg, 14 décembre 1697, *in* Woldemar Guerrier, *Leibniz in seinen Beziehungen zu Russland*

und Peter dem Grossen, Hildesheim, Gerstenberg, 1975 (édition originale, Saint-Pétersbourg-Leipzig, 1873, 2e partie, p. 32 et suiv.

2. Voltaire, *Essai sur les mœurs*, vol. II, p. 325. Voir aussi Jürgen Osterhammel, *Die Entzauberung Asiens. Europa und die asiatischen Reiche im 18. Jahrhundert*, p. 15.

éducation jésuite, le rationaliste et déiste radical, avide de porter la polémique sur tous les fronts, dont *Candide* était en outre une liquidation ironique de la conception de l'harmonie préétablie de Leibniz, sont généralement tenus pour les deux pôles d'une époque et les représentants essentiels de la pensée éclairée et baroque. De quelle façon des penseurs aussi différents que Leibniz et Voltaire s'approprièrent-ils les impressions qu'ils se firent de la Chine et de Confucius et dans quelle mesure œuvrèrent-ils à l'élaboration de certains aspects spécifiques de la perception européenne de Confucius ? Pour aborder cette question, il nous faut d'abord suivre à la trace et reconstruire l'image de la Chine confucianiste qui s'était propagée en Europe depuis Matteo Ricci (1552-1610).

Après que l'hémisphère oriental eut été placé, en 1494, sous la souveraineté portugaise, par le traité de Tordesillas, que les premiers contacts commerciaux entre Portugais et Chinois se nouèrent à Canton en 1514 et qu'un comptoir fut conséquemment établi à Macao, la Société de Jésus, fondée en 1540, obtint du roi du Portugal la charge d'une mission en Chine. Comme l'Espagne, au mépris des conventions du traité, s'était elle aussi fixée aux Philippines où vivait une minorité chinoise, on assista à plusieurs tentatives, conduites prioritairement par des moines dominicains et des franciscains, d'instaurer une mission chinoise sous contrôle espagnol. Mais jusqu'en 1583, tous les efforts pour établir durablement des relais de mission sur territoire chinois échouèrent. Il fallut attendre cette date en effet pour que Matteo Ricci et Michele Ruggieri (1543-1607) obtiennent, à l'invitation des Chinois, l'autorisation de s'installer à proximité de Canton. Au début, leur mission fut perçue par les Chinois comme l'établissement d'une secte bouddhiste. Après avoir séjourné plusieurs années en Chine, c'est en 1601 que Ricci fut admis à la cour impériale de Pékin. Dans l'intervalle, il avait mis en œuvre une méthode missionnaire adaptée à la situation chinoise, qui devait par la suite non seulement contribuer de manière capitale à la haute considération dont la mission jésuite bénéficia à la cour impériale, mais marquer aussi de son empreinte la perception que l'Europe allait avoir de la Chine. La stratégie d'adaptation de Ricci s'appliquait à propager des notions chrétiennes en les accommodant aux points de vue et à la terminologie de la « ligue des lettrés » (*legge de leterati*) et grâce à la médiation de la science européenne. Tandis que Ricci réprouvait le taoïsme et le bouddhisme qu'il tenait pour des superstitions hérétiques, il considérait en revanche l'éthique de la « ligue des lettrés » comme une preuve de la religion naturelle des Chinois. Ricci désigne « Confutio » comme fondateur de la « ligue des lettrés[3] ». Par cette latinisation de son nom, Kongzi (551-479 avant J.-C.) acquit non seulement ses lettres de noblesse auprès du public européen, mais Ricci introduisit du même coup l'appellation, encore en usage aujourd'hui en Occident, de *confucianisme* pour l'école *ru*. Quant à Confucius lui-même, le missionnaire italien l'appelle le « prince des philosophes chinois[4] ». C'est aussi pour les contemporains de Ricci que Confucius incarnait, dans la Chine de l'époque Ming (1368-1644), la figure centrale de la doctrine *ru*, sur laquelle se fondait alors l'État impérial. Faire référence à Confucius signifiait établir la légitimité de ses propres arguments. Lorsque Ricci attaqua certaines positions essentielles du confucianisme de son temps et qu'il fit valoir sa thèse d'un ancrage historique, en Chine, du monothéisme résultant de la théologie naturelle, il se référa pour ce faire à Confucius. D'après le jésuite, c'est seulement après la mort de Confucius que les fondements de la théologie naturelle avaient été masqués par la destruction de ses écrits originaux et par la naissance du taoïsme et du bouddhisme. Selon lui, on en pouvait néanmoins reconnaître encore l'esprit dans l'éthique confucianiste, ce qui expliquait que la mission chrétienne pût s'y rallier. L'universalité de la raison, voulue par Dieu, et la théologie naturelle qui en résultait, dont Ricci

---

3. Dans ses textes italiens, Ricci parle de « Confutio ». La forme latinisée de « Confutius » ou « Confuzius » allait être répandue par le *De Christiana expeditione apud Sinas* de Trigault. Lorsque

Couplet fit paraître son *Confucius Sinarum philosophus* en 1687, le nom de Confucius s'était déjà très largement imposé en Europe.

4. Nicolas Trigault, Matteo Ricci, *De Christiana expeditione apud Sinas*, chap. v. Voir aussi *Histoires de l'expédition chrétienne au Royaume de la Chine 1582-1610*, Paris, Desclée de Brouwer,

1978, coll. « Christus » n° 45, p. 997.

postulait que les Chinois la connaissaient eux aussi, faisaient des sciences le vecteur idéal pour la diffusion de la théologie révélée. Un grand nombre de publications jésuites en langue chinoise, qui traitaient d'astronomie, de science calendaire, de mathématique, de géographie, de cartographie et d'hydraulique, démontrent cette stratégie. Inversement, la mission jésuite se servit de la terminologie confucianiste pour restituer des notions chrétiennes, mais il faut cependant noter que Ricci se limita à ne diffuser que certains aspects de la doctrine chrétienne dont il estimait qu'ils pouvaient être acceptés par un confucianiste doté de rationalité, comme par exemple l'idée de la création, du monothéisme ou du péché. En revanche, il fit totalement passer au second plan l'histoire d'un rédempteur qui meurt crucifié sur la croix après avoir été condamné comme criminel[5]. Pour Ricci, il importait donc de rétablir le confucianisme primitif tel qu'il le postulait et d'y rattacher immédiatement le christianisme. À ses yeux, Confucius n'était pas seulement la preuve d'une théologie naturelle monothéiste en Chine, mais aussi, à l'inverse, le garant du succès de la mission chrétienne.

Au demeurant, cette conception n'était pas partagée par tous les missionnaires ni même par tous les jésuites. Ainsi, Niccoló Longobardi (1565-1655), le successeur de Ricci à la cour impériale de Pékin, en arriva-t-il à une tout autre idée du confucianisme. Pour lui, Confucius était, tout comme les adeptes contemporains du confucianisme, un athée. Pour la plupart des missionnaires franciscains et dominicains, les rites confucianistes de l'adoration des ancêtres, du ciel et de la figure de Confucius étaient des cultes religieux et donc des idolâtries. Ces divergences d'opinion devaient aboutir à la querelle des rites, qui ne tarda pas à enflammer les esprits érudits d'Europe à la fin du XVIIe siècle et qui fut tranchée, en 1724, par l'encyclique *Cum Deus optimus* qui se prononçait dans un sens défavorable à la méthode d'adaptation de Ricci. Dans la foulée, le pape décréta l'interdiction de la pratique des rites confucianistes par les sujets de l'empereur nouvellement convertis au catholicisme, ce qui entraîna la proscription du christianisme par l'empereur Yongzheng, qui régna de 1723 à 1736. Jusqu'en 1811, seuls les « missionnaires de cour » jésuites furent encore autorisés à exercer une activité réduite.

Jusqu'en 1724, les missionnaires jésuites réalisèrent l'étonnant exploit de glaner des succès dans deux mondes fondamentalement différents et d'obtenir, au service de deux maîtres, les postes les plus élevés. Avoir été en somme des passeurs entre les cultures n'est sans doute pas la moindre de leurs réalisations. Comme la Société de Jésus avait un permanent besoin de nouvelles recrues enthousiastes et hautement qualifiées, elle s'appliqua dès le départ à faire de la réclame pour cette mission. Aussi comprendra-t-on facilement qu'il était donc nécessaire d'élaborer, à l'attention de l'Europe aussi, une image en quelque sorte adaptée de la Chine. Entre le XVIIe et le XIXe siècle, la Chine fut effectivement l'économie politique la plus riche du monde, mais dans les publications des missionnaires, l'étonnement quant aux dimensions de l'Empire chinois prenait parfois un tour presque exaltant. Le lecteur européen de ces textes était presque inévitablement conduit à percevoir la Chine comme le pendant culturel de l'Europe. En 1585, Juan González de Mendozas publia son *Historia de las Cosas mas notables, ritos y costumbres del Grand Reyno dela China*[6]. Cet ouvrage fut le premier best-seller de la littérature chinoise : jusqu'en 1600, il ne connut pas moins de

5. Ce constat s'applique notamment au *Tianzhu shiyi* que Ricci arrangea à la façon d'un dialogue entre un érudit chinois et un missionnaire et qu'il avait publié en langue chinoise pour présenter, sur un mode programmatique, certains enseignements chrétiens à la lumière de sa méthode d'adaptation. Voir Matteo Ricci s.j., *The True Meaning of the Lord of Heaven* (*Täian-chu Shih-i*), Edward J. Malatesta (éd.), Taipei, Institut Ricci, 1985 (*Variétés Sinologiques*, nouvelle série n° 72). On se tromperait cependant à conclure que l'histoire du Christ avait été dissimulée. Giulio Aleni (1582-1649), qui fut, aux côté des Matteo Ricci, l'un des premiers missionnaires en Chine les plus importants, avait par exemple veillé à faire connaître aux Chinois, par ses illustrations avant tout, l'épisode de la mort du Christ sur la croix.

6. Juan González de Mendozas, *Historia de las Cosas mas notables, ritos y costumbres del Grand Reyno dela China, sabidas assi por los libros delos mesmos Chinas, como por relacion de religiosos y otras personas que an estado en el dicho Reyno*, Rome, 1585.

trente éditions et fut traduit dans toutes les langues européennes qui comptaient à l'époque. L'étude de Mendozas présente dans le détail la géographie naturelle, la politique, les coutumes et les religions de la Chine. Si le livre en offre une image globalement positive, il attaque en revanche le taoïsme et le bouddhisme. Confucius, par contre, n'y joue absolument aucun rôle. Il fallut attendre le *De Christiana expeditione apud Sinas* de Trigault pour que soit évoquée l'appropriation de Confucius par Ricci. Dans cet ouvrage, Confucius est présenté comme le fondateur d'une éthique rationnelle qui était à la base de l'État chinois et qui pouvait également servir de modèle pour l'Europe. L'enthousiasme pour la Chine qu'on vit se manifester alors en Europe suscita, jusqu'en 1700, pas moins de trente-neuf importantes publications sur le sujet. C'est tout particulièrement le *Confucius Sinarum philosophus* publié par Philippe Couplet qui joua un rôle décisif dans l'élaboration de l'image de Confucius[7]. Cet ouvrage comportait notamment la traduction de trois des quatre livres ou textes centraux du confucianisme dont on attribuait la rédaction à Confucius. On y trouvait en outre la biographie traditionnelle et, pour la première fois, un portrait du philosophe. Conformément à l'esprit du livre qui présentait Confucius comme fondateur d'une morale et d'un état idéal et qui faisait passer au second plan les aspects religieux, son portrait le montre sous les traits d'un érudit dans une bibliothèque et non comme fondateur de religion. Au début du xviiie siècle, la littérature sur la Chine avait atteint une profusion considérable, tandis que la vision de Confucius s'était d'ores et déjà cristallisée dans l'image du sage fondateur d'une éthique rationnelle et d'une culture équivalente à celle de l'Europe.

Leibniz et Voltaire étaient d'avides lecteurs de ces publications. La bibliothèque personnelle de Leibniz contenait plus de cinquante titres consacrés à la Chine. Parmi les sources qu'il cite explicitement, on relève le *De re literaria Sinensium* de Gottlieb Spitzel (1639-1691) et la *China illustrata* d'Athanasius Kircher s.j. (1602-1680)[8]. Leibniz correspondit par ailleurs avec quelques missionnaires jésuites en Chine, notamment avec Claudio Filippo Grimaldi s.j. (1638-1712) et surtout avec Joachim Bouvet s.j. (1656-1730)[9]. Il s'acquit lui-même une réputation d'expert de la Chine en publiant ses *Novissima Sinica* en 1697[10]. Son texte le plus ample sur la Chine est une lettre à Nicolas Remond qu'il rédigea durant les derniers mois de sa vie, mais qu'il n'eut pas le temps de faire parvenir à son destinataire. Leibniz intitula lui-même son manuscrit *Philosophie des Chinois*[11]. À la fin du xviie siècle, la Chine ne pouvait qu'éveiller l'intérêt d'un génie universel baroque comme Leibniz. Il faut sans doute faire remonter l'origine de sa curiosité pour la Chine à l'époque de son séjour parisien de 1672-1676. La cour de Louis XIV était animée d'un mouvement de sinophilie, comme en témoigne l'envoi d'une mission française à la cour impériale de Pékin, à laquelle prit part

7. Philippe Couplet *et al.*, *Confucius Sinarum Philosophus, sive Scientia Sinensis*, Paris, Horthemels, 1687. Au demeurant, en raison de son format peu avantageux, cet ouvrage ne connut pas un succès commercial. Il fut plus largement diffusé dans sa version abrégée éditée à Paris en 1688 par Louis Cousin (1627-1697) sous le titre *La Morale de Confucius, philosophe de la Chine*.

8. Gottlieb Spitzel, *De re literaria Sinensium commentarius*, Leyde, 1660. Athanasius Kircher, *China Monumentis qua*

Sacris qua Profanis, nec non variis Naturae & Artis Spectaculis, Aliarumque rerum memorabilium Argumentis Illustrata*, Amsterdam, Jacobus Meurs, 1667. Dans les dernières années du xviie siècle, c'est principalement l'ouvrage de Kircher qui jouissait d'une grande popularité, en raison de ses très riches illustrations.

9. À ce sujet, voir également Rita Widmaier (éd.), *Leibniz korrespondiert mit China. Der Briefwechsel mit den Jesuitenmissionaren (1689-1714)*, Francfort,

Vittorio Klostermann, 1990.

10. Gottfried Wilhelm Leibniz, *Novissima Sinica, in* L. Dutens, *Leibnitii Opera Omnia*, vol. IV, p. 78-89.

11. On trouvera le texte original français *in* L. Dutens, *Leibnitii Opera Omnia*, vol. IV, 1, p. 169-210. Remond avait envoyé à Leibniz les deux écrits de Niccoló Longobardi, *Traité sur quelques points de la religion des Chinois*, Paris, 1703, et d'Antoine de Sainte-Marie, *Traité sur quelques points importants de la mission de la Chine*, Paris, 1701,

en même temps que l'essai s'y rapportant de son maître Nicolas Malebranche (1638-1715), *Entretiens d'un philosophe chrétien et d'un philosophe chinois sur l'existence et la nature de Dieu*, Paris, 1708, en priant le philosophe de bien vouloir lui faire connaître son opinion sur ces questions.

notamment Joachim Bouvet, des Missions étrangères de Paris, nouvellement fondée en 1684. L'enthousiasme de Leibniz pour la Chine fut encore encouragé par son séjour à Rome, en 1689. Il y fit la connaissance de Grimaldi, qui venait de rentrer de Chine et qui défendait auprès du pape la position des jésuites dans la querelle des rites. Le catalogue de questions figurant dans la lettre que Leibniz adresse à Grimaldi montre à quel point ses intérêts pour la Chine étaient à la fois divers et spécifiques. Ils vont de la langue et de l'écriture jusqu'à la religion et aux techniques, en passant par l'histoire et l'organisation politique. Au début de la correspondance qu'il entame avec Bouvet en 1697, Leibniz trouve dans la tradition confucianiste de la Chine une conception étroitement apparentée à ses propres idées.

Comme la plupart de ses contemporains, Leibniz reprend, par manque de sources alternatives, mais sans doute aussi par conviction personnelle, la thèse jésuite qu'il faut considérer confucianisme et culture chinoise comme une seule et même chose. En conséquence, Confucius représente donc pour lui une figure évidemment toute positive. Au reste, ce n'est pas tant la personne même de Confucius qui l'intéresse, que la teneur philosophique du confucianisme. Quels étaient donc les domaines de la connaissance de la Chine qui stimulaient Leibniz ? Il s'agissait tout d'abord de l'écriture chinoise, de la rationalité globale et de la théologie naturelle du confucianisme, telles qu'elles avaient été postulées par Ricci. La quête d'une « *reductio linguarum ad unam* » incita également Leibniz à supposer que l'écriture chinoise pouvait être le témoin ou le modèle d'une écriture universelle, précisément parce qu'elle n'obéissait à aucun principe alphabétique. Mais les deux points sur lesquels Leibniz reconnut une similitude frappante avec ses propres théories et découvertes, c'étaient les hexagrammes du *Yijing* et la terminologie néo-confucianiste du *li* et du *taiji* qui y était inscrite[12]. Pour l'interprétation de ces deux notions, Leibniz prit appui sur les exposés de Bouvet. Joachim Bouvet était le principal représentant de ceux qu'on nommait les « figuristes », une tendance minoritaire de la mission jésuite en Chine. Comme le figurisme part de l'hypothèse que dans les cultures non chrétiennes, la religion naturelle est structurée symboliquement et que les écritures primitives en portent témoignage, ce point de vue représentait un prolongement de la méthode d'adaptation de Ricci. Bouvet défendait la thèse selon laquelle les premiers empereurs chinois n'étaient pas des figures historiques réelles, mais des réminiscences mythologiques des héros des croyances culturelles partagées par l'humanité entière. De l'empereur primitif Fuxi, Bouvet faisait un équivalent d'Hermès Trismégiste et d'Enoch. Comme Fuxi passait, selon la tradition chinoise, pour l'inventeur des trigrammes qui servirent de base au développement des hexagrammes, Bouvet en concluait que les trigrammes transmis par le *Yijing* étaient la marque d'un message primitif universel[13]. Puisqu'on considérait en outre que ceux-ci étaient à l'origine de l'écriture chinoise, Bouvet estimait que c'était derrière le système des lignes continues et brisées des trigrammes qu'il fallait débusquer la structure rationnelle de l'écriture chinoise. Lorsque Leibniz constata en outre un parallélisme entre la série des hexagrammes et sa mathématique binaire, il y vit la preuve du fondement rationnel et universel, ainsi que de l'unité de l'écriture et de la mathématique. Ce qui entraîna Bouvet à accorder dès lors plus d'importance à Fuxi qu'à Confucius : c'est l'empereur que le jésuite se mit désormais à désigner comme le « prince de la philosophie ». Car si Fuxi incarnait la clé ouvrant sur l'unité du monde et déjà égarée à l'époque de Confucius et de sa rédaction du *Yijing*, il en résultait implicitement pour Confucius un rôle plus modeste que celui que Ricci avait prévu à son intention. L'autre découverte qui retint également Leibniz, pour des raisons de contenu,

12. Le *Yijing* est considéré comme l'un des ouvrages classiques de la pensée chinoise transmis par Confucius. À l'origine, c'était un livre de divination, mais il présentait aussi les principes de certaines spéculations cosmologiques et les deux notions du *li* et du *taiji*, qui proviennent en réalité d'un état ultérieur du texte. On le tient donc pour le *locus classicus* de ces deux idées qui étaient devenues, dès le XIᵉ siècle, des axiomes fondamentaux du néo-confucianisme.

13. Les huit trigrammes sont formés par la combinaison de trois lignes continues ou brisées. En ordonnant les lignes par groupes de six, on obtient les soixante-quatre différents hexagrammes.

d'accorder une importance majeure à Confucius, c'était la similitude entre son concept de monade et l'idée néo-confucianiste du *li* comme principes à la fois universels et individuels qui garantissent l'unité de la nature et de la morale. Dans ce parallélisme, Leibniz ne pouvait s'empêcher de voir également le règne de l'universalité de la raison dans le confucianisme. Au regard de sa quête d'un œcuménisme théologique, on ne s'étonnera donc pas qu'il ait proposé un échange scientifique avec la Chine, une sorte de mission européenne confucianiste qui était censée livrer les fondements de la théologie naturelle. Le concept néo-confucianiste du *li* avait été systématisé au XIIᵉ siècle par Zhu Xi (1130-1200) et Leibniz le découvrit dans les deux brefs traités de Longobardi et du missionnaire franciscain Antoine de Sainte-Marie. Les deux auteurs y mettaient en question la théorie d'adaptation de Ricci. Pour convaincre le confucianisme d'athéisme, ils se référaient surtout au *Xingli daquan*, un manuel de préparation aux examens qui datait de l'époque Ming. Il fallut attendre la querelle des rites pour que ces textes soient publiés en Europe en 1701 et 1703. C'est Nicolas Remond qui les fit connaître à Leibniz, en le priant de bien vouloir lui communiquer son opinion sur la question. Leibniz est immédiatement fasciné par le néo-confucianisme sur lequel ce manuel est fondé, il en reprend la terminologie et renverse l'interprétation négative qu'en avait donnée Longobardi. En adoptant des concepts néo-confucianistes, Leibniz rompt avec la stratégie de Ricci, qui consistait à créer un point d'ancrage pour le christianisme en valorisant la personne de Confucius, tout en stigmatisant le néo-confucianisme comme forme dégradée de l'enseignement originaire de Confucius. Aussi Confucius n'apparaît-il, en tout et pour tout, que dans les chapitres XLVIII et L, de la *Philosophie des Chinois* de Leibniz. Longobardi prétendait que Confucius était athée parce qu'il s'était refusé à tout énoncé sur le surnaturel et sur les dieux. Ce constat, Leibniz l'interprète tout autrement : il y voit seulement la preuve que Confucius craignait de nuire à l'aspect métaphysique de son enseignement en en parlant trop et qu'il entendait d'abord conduire ses contemporains sur la voie de la raison.

C'est tout ensemble la thèse figuriste et son propre alignement sur le néo-confucianisme qui incitèrent donc Leibniz à prendre ses distances avec la conception riccienne du rôle et de l'importance de la personne de Confucius. Au reste, l'interprétation figuriste des sources chinoises allait ouvrir l'espace à une exégèse beaucoup plus libre, orientalisante, de cette figure. On en trouve déjà les prémices lorsque Leibniz se met à plaider pour une compréhension spécifique des originaux et des modèles chinois : « Si nous autres Européens étions suffisamment instruits de l'écriture chinoise, nous pourrions très probablement découvrir, avec l'aide de la logique, de la pénétration critique, de la mathématique et de notre mode d'expression conceptuellement assez précis, dans les monuments d'un passé aussi lointain bien des choses que les Chinois d'aujourd'hui ne connaissent pas, ni même les plus récents exégètes des Anciens, tout classiques qu'on puisse les considérer au demeurant[14]. »

Si Voltaire voue un grand intérêt à la personne de Confucius, c'est tout autrement que Leibniz. Disons tout bonnement que Confucius lui semblait avoir été son alter ego chinois. On raconte que Voltaire portait fréquemment un couvre-chef confucianiste pour afficher la sympathie qu'il éprouvait à l'endroit de ses adeptes. On dit en outre qu'un portrait de Confucius était accroché dans sa maison de Ferney[15]. Voltaire disait que « ce Confucius est, à la vérité, un très bon homme, ami de la raison, ennemi de l'enthousiasme, respirant la douceur et la paix, et ne mêlant point le mensonge avec la vérité[16] ». Ses informations sur la Chine, Voltaire les détenait lui aussi principalement de sources

14. Gottfried Wilhelm Leibniz (Renate Loosen éd. et trad.), « Abhandlung über die chinesische Philosophie », paragraphe IV 68, *Antaios*, VIII (1967), p. 194.

15. Voltaire évoque les portraits de Confucius dans ses lettres du 18 février 1760 à M. Thierot et du 25 avril 1760 à Mme d'Épinay. Voir Voltaire (Theodore Besterman éd.), *The Complete Works of Voltaire. Correspondence and related documents* D8765 et D8874. Il s'agissait vraisem-blablement en l'occurrence de reproductions du portrait de Confucius publié *in* Du Halde *Description... de la Chine et de la Tartarie chinoise*, op. cit.

16. Lettre à Mme d'Épinay *in* Voltaire (Theodore Besterman éd.), *The Complete Works of Voltaire. Correspondence and related documents* D8874. Voltaire poursuit sa lettre en soulignant qu'il préférerait tout de même Mme d'Épinay au portrait du philosophe chinois.

jésuites. Il est vrai qu'il avait également lu le *Tratados historicos de China*[17] de Navarrete (1618-1686), qui était une critique de la méthode missionnaire d'adaptation, et qu'il connaissait par ailleurs certains rapports de négociants, mais il n'y accordait pas grande valeur. Outre les publications de Trigault, Kircher et Couplet, ce sont les *Lettres édifiantes et curieuses*, un recueil de lettres de missionnaires jésuites en Chine, ainsi que la vaste description de la Chine par Du Halde (1674-1703) qui exercèrent une influence bien plus considérable sur l'image qu'il se forma de la Chine[18]. Ce dernier ouvrage tout spécialement lui fournit le matériel et les modèles qui lui permirent de donner une forme exemplaire et littéraire aux contenus chinois de ses écrits. Il faut noter à ce propos que la Chine présenta pour Voltaire un sujet d'intérêt constant, qui lui tint pratiquement compagnie durant tout le temps de son activité philosophique et littéraire. Même au moment où l'on vit décliner en Europe l'engouement pour la Chine, durant la seconde moitié du XVIIIᵉ siècle, le lien qui unit Voltaire au confucianisme ne cesse jamais d'exister. Voltaire critique vertement Montesquieu (1689-1755) qui dépeint la Chine sous les traits d'une tyrannie. Les textes dans lesquels l'écrivain aborde le thème de la Chine et du confucianisme sont légion. C'est en 1734 qu'il s'exprima pour la première fois sur le sujet dans ses *Lettres philosophiques*, mais il convient de citer surtout les *Lettres chinoises*, les *Entretiens chinois*, *Le Philosophe ignorant*, le *Dictionnaire philosophique* où les articles « De la Chine » et « Catéchisme chinois » s'y rapportent explicitement. On relève en outre la présence de la Chine dans des œuvres qui n'en traitent pas directement, comme par exemple le *Traité sur la tolérance*. Dans la France du milieu du XVIIIᵉ siècle, on peut considérer l'*Essai sur les mœurs* que Voltaire publie en 1756 comme une manifestation emblématique de la sinophilie régnante. Pour son œuvre littéraire aussi, Voltaire utilisait des matériaux chinois, comme par exemple dans son drame intitulé *L'Orphelin de la Chine*. Ce qui caractérise en l'occurrence la façon dont Voltaire en use avec ses sources chinoises, c'est que son adaptation théâtrale n'a plus rien de commun avec la pièce originale *Zhaoshi gu er*[19]. Les rapports littéraires que Voltaire entretenait avec ses sources lui permettaient d'accommoder à son propre horizon le matériel qu'il utilisait et d'opérer un renversement de la vision jésuite du confucianisme dont il fait un symbole de l'esprit des Lumières. Avec les jésuites, il partage l'admiration pour une culture millénaire, un État bien organisé sur la base d'une morale confucianiste et une religion naturelle qui affiche son mépris du bouddhisme et du taoïsme. À la différence de Leibniz, l'écriture chinoise n'est plus chez Voltaire l'objet d'une spéculation sur une éventuelle écriture universelle, il semble au contraire qu'il y ait plutôt vu une entrave au développement technique et scientifique.

Qu'y a-t-il donc au cœur de la préoccupation sinophile de Voltaire pour la Chine ? À ses yeux, c'est le gouvernement et la religion, ainsi que leur rapport déterminé par le confucianisme, qui lui semblaient pouvoir servir de modèles pour l'Europe. Le régime de gouvernement de la Chine, établi sur des normes confucianistes, équivalait en l'occurrence à une monarchie éclairée et tolérante. L'intérêt personnel de l'empereur Kangxi (qui régna de 1662 à 1722) au bien-être de son peuple, qui pouvait aller jusqu'à la prise en charge par le souverain de la responsabilité de catastrophes naturelles et que les jésuites s'étaient déjà appliqués à faire connaître, coïncidait par exemple avec les conceptions de gouvernement paternalistes de Voltaire. En plus de l'esprit d'ouverture de l'empereur à l'égard des

---

17. Domingo Fernández Navarrete, *Tratados historicos, politicos, ethicos y religiosos de la Monarchia de China*, Madrid, 1676.

18. *Lettres édifiantes et curieuses*, lettres jésuites de Chine, éditées en 35 volumes

de 1702 à 1776. C'est Charles Le Gobien (1653-1708) qui en avait inauguré la publication en 1702. Jean-Baptiste Du Halde, *Description Géographique, Historique, Chronologique, Politique et Physique de l'empire de la Chine et de la Tartarie Chinoise*, Paris, 1735.

19. Voir à ce sujet Souéo Goto, « *L'Orphelin de la Chine* et son original chinois », *Revue de littérature comparée*, 12 (1932), p. 712-728, et Liu Wu-chi « The Original Orphan of China », *Comparative Literature*, 5 (été 1953), p. 193-212.

missionnaires occidentaux, l'édit de tolérance de 1692, qui accordait au christianisme le droit de se déployer librement en Chine et qui opposait un contraste flagrant avec la révocation de l'édit de Nantes édictée en 1685 par Louis XIV, avait contribué à faire apparaître l'empereur de Chine comme un souverain tolérant et éclairé. Le fait que Voltaire tînt également pour une sage décision la proscription de la mission chrétienne décrétée en 1724 en conséquence de l'interdit signifié par le pape aux nouveaux convertis de pratiquer les rites ancestraux, montre à quel point l'image qu'il se faisait de la Chine s'articulait dans le champ de tension d'une sinophilie inspirée par les jésuites et d'un anti-cléricalisme éclairé. Du maître contemporain de la Chine, l'empereur Qianlong, qui régna de 1736 à 1795, Voltaire fit la figure idéale d'un philosophe sur le trône impérial.

C'est tout spécialement le droit chinois qui était, pour Voltaire, l'expression d'un État modèle. Des tribunaux, qui officiaient selon lui sans fanatisme ni dogmatisme religieux en se fondant sur la raison et dans un esprit de tolérance, il n'hésitait pas à faire des parangons universels. Ainsi décrit-il un exemple fictif de la conception confucianiste du droit[20]. Un fonctionnaire confucianiste chinois s'y emploie à servir de médiateur entre un jésuite, un Danois et un Hollandais dans une dispute sur la validité du concile de Trente. Après avoir écouté chacun d'eux lui exposer son point de vue, il doit constater qu'aucun des trois interlocuteurs n'est disposé à s'écarter de ses dogmes et finit donc par conclure : « Si vous voulez qu'on tolère ici votre doctrine, commencez par n'être ni intolérants, ni intolérables[21]. » Un peu plus tard, le jésuite se vante devant un autre missionnaire d'avoir eu gain de cause dans la dispute, sur quoi ce dernier lui réplique que, s'il avait été présent, il aurait convaincu les jésuites de mensonge et d'idolâtrie. Les deux religieux en viennent aux mains et le fonctionnaire chinois les fait arrêter. Il les condamne à être détenus aussi long-temps qu'ils ne parviendront pas à un accord. Comme quelqu'un lui rétorque que cela signifierait une réclusion à vie pour l'un et l'autre, il atténue sa sentence en décrétant qu'ils seront relâchés s'ils se pardonnent. Sur l'objection que cela ne servirait sans doute à rien, il décide que la durée de détention se prolongera jusqu'au moment où ils donneront au moins l'impression de s'être pardonné. Dans cette pièce didactique, le fonctionnaire confucianiste incarne le triomphe de la raison exempte de préjugés sur l'acharnement dogmatique.

Cet exemple illustre en outre la façon dont l'exégèse jésuite, qui tenait le confucianisme pour une théologie naturelle, fut réinterprétée par les tenants du rationalisme. Si la diffusion d'une religion naturelle et de la raison dans le confu-cianisme chinois servait aux jésuites de support d'argumentation d'une stratégie d'adaptation, le confucianisme était en revanche, pour les représentants des Lumières, le meilleur exemple de la nécessité de réduire l'influence sociale et idéologique de toute religion dogmatique. Ainsi Pierre Bayle avait-il présenté, dans la deuxième édition de son *Dictionnaire*, le confucianisme comme athée. Tandis que Voltaire emboîta le pas de cette conception jusqu'en 1742, on le vit ensuite concevoir dans son *Essai sur les mœurs* un déisme confucianiste. Dans le *Catéchisme chinois* – un dialogue entre un prince héritier chinois et Zi Si, le petit-fils de Confucius –, Voltaire dépeint sa vision théologique idéale sous les apparences d'une réalité confucianiste. À ses yeux, le culte d'adoration que les Chinois vouent au ciel est l'expression de l'adoration du Dieu créateur, l'artisan qui fit fonctionner le monde. Dans ces circonstances, tout est participation à Dieu, mais c'est la raison, tout spécialement, qui en est la première manifestation. Toute prière rogatoire serait donc absurde. Le bouddhisme et le taoïsme sont une déplorable superstition du peuple et de sa naïveté, qu'il convient cependant de tolérer. L'idée de l'immortalité de l'âme est l'expression de l'espérance humaine et le garant de la conversion à un comportement moral. C'est tout cela qui constitue, selon Voltaire, la doctrine de Confucius et l'héritage auquel la Chine a renoncé.

---

20. *Traité sur la tolérance*, chap. xix : « Relation d'une dis-pute de controverse à la Chine », *Les Œuvres complètes de Voltaire*, 56c, p. 239-241.

21. *Ibid.*, p. 240.

Si Zi Si parle également, dans le dialogue du *Catéchisme chinois*, de l'Inde, du bouddhisme, de Bornéo et de l'Égypte, on y reconnaîtra une certaine projection culturelle des Lumières qui ne saurait cependant correspondre à la réalité de la Chine du IVe siècle avant J.-C. Même si Voltaire souligne à l'occasion qu'il a conçu son dialogue en s'adossant à une image objective de la Chine, son argumentation montre bien davantage une Chine qui lui sert d'écran où projeter ses propres idées et idéaux. Les informations dont il dispose sur la Chine, Voltaire les utilise principalement pour inventer des scènes dont les dialogues sont empreints de l'esprit et du discours des Lumières européennes. La Chine et le confucianisme plantent le décor pour la pensée de Voltaire, tout en se transformant en symboles d'une société éclairée. Confucius y joue le rôle principal. Il est la figure fondatrice d'un rationalisme que Voltaire projette sur la Chine par l'entremise des images que lui en ont transmises les jésuites, le symbole de la possibilité d'établir un ordre social tolérant et juste, le pôle opposé à une société dogmatique et irrationnelle dominée par la religion chrétienne. On raconte que Voltaire possédait un portrait de Confucius sous lequel on pouvait lire :

> « De la seule raison salutaire interprète.
> Sans éblouir le monde, éclairant les esprits,
> Il ne parla qu'en sage, et jamais en prophète ;
> Cependant on le crut, et même en son pays. »[22]

Si la perception leibnizienne du confucianisme était un reflet cohérent, sinon sur le plan historique, du moins sur celui des contenus, Voltaire en fit converger l'image à travers les prismes de la tolérance, du droit et de ses conceptions déistes pour en donner une vision éclairée. Il en résulta une certaine focalisation sur la figure de Confucius, qui apparut ainsi de manière bien plus plastique, même si Voltaire l'éloignait du même coup de ses sources et de son contexte culturel et historique d'origine. Au XIXe siècle, l'expansion européenne en Extrême-Orient aboutit au conflit avec la Chine. L'appréhension bien plus négative de la Chine et du confucianisme qui en fut la conséquence supplanta aussi bien la vision œcuménique et pleine de promesses de Leibniz que l'image littéraire et éclairée de Confucius élaborée par Voltaire. Mais en tant que reflets significatifs du confucianisme dans l'histoire de sa réception en Europe, ces conceptions appartiennent désormais l'une et l'autre au fonds du dialogue interculturel qu'on vit s'établir entre la Chine et le vieux Continent.

---

22. Cité d'après Arnold H. Rowbotham,
« Voltaire sinophile », p. 1057.

Sélection bibliographique

Couplet, Philippe *et al.*, *Confucius Sinarum Philosophus, sive Scientia Sinensis*, Paris, Horthemels, 1687.

Du Halde, Jean-Baptiste, *Description Géographique, Historique, Chronologique, Politique et Physique de l'empire de la Chine et de la Tartarie Chinoise*, Paris, 1735.

Dutens, Ludwig (éd.), *Leibnitii Opera Omnia*, 6 vol., Genève, 1768.

Grimm, Tilemann, « China und das Chinabild von Leibniz », *Systemprinzip und Vielheit der Wissenschaften. Vorträge an der Westfälischen Wilhelms-Universität Münster aus Anlass des 250. Todestages von Gottfried Wilhelm Leibniz* (éd. Udo Wilhelm Bargenda, Jürgen Blühdorn), Wiesbaden, Franz Steiner Verlag, 1969 [*Studia Leibnitiana* : édition spéciale 1], p. 38-61.

Guy, Basil, *The French image of China before and after Voltaire*, Genève, Institut et Musée Voltaire, 1963 [*Studies on Voltaire* 21].

Jensen, Lionel M., *Manufacturing Confucianism. Chinese Traditions and Universal Civilization*, Durham-Londres, Duke University Press, 1997.

Kircher, Athanasius, *China Monumentis qua Sacris qua Profanis, nec non variis Naturae & Artis Spectaculis, Aliarumque rerum memorabilium Argumentis Illustrata*, Amsterdam, Jacobus Meurs, 1667.

Leibniz, Gottfried Wilhelm (Renate Loosen éd. et trad.), « Abhandlung über die chinesische Philosophie », *Antaios*, VIII (1967), p. 144-203.

– *Novissima Sinica*, Hanovre, 1699.

– (Preußische Akademie der Wissenschaften éd.), *Sämtliche Schriften und Briefe*, Berlin, Akademie Verlag, 1923.

Loosen, Renate, « Leibniz und China. Zur Vorgeschichte der "Abhandlung über die chinesische Philosophie" », *Antaios*, VIII (1967), p. 134-143.

Lust, John, *Western Books on China Published up to 1850*, Londres, Bamboo Publ., 1992.

Merkel, Rudolf Franz, *Leibniz und China*, Berlin, De Gruyter, 1952.

Mungello, David E., *Leibniz and Confucianism. The Search for Accord*, Honolulu, University of Hawaii Press, 1977.

– *The Great Encounter of China and the West, 1500-1800*, Lanham, Rowman & Littlefield, 1999.

Nesselrath, Heinz-Günther, Reinbothe Hermann (éd.), Gottfried Wilhelm Leibniz, *Novissima Sinica. Das Neueste von China*, Cologne, Deutsche China-Gesellschaft, 1979.

Osterhammel, Jürgen, *Die Entzauberung Asiens. Europa und die asiatischen Reiche im 18. Jahrhundert*, Munich, C.H. Beck, 1998.

Owen Aldrige, A., « Voltaire and the Cult of China », *Tamkang Review*, 2, n° 2 ; 3, n° 1 (1971-1972), p. 25-49.

Ricci, Matteo (Nicolas Trigault éd.), *De Christiana expeditione apud Sinas ab Societate Jesu Suscepta, ex Matthaei Ricci commentarius libri*, Augsbourg, 1615.

Rowbotham, Arnold H., « Voltaire − Sinophile », *PMLA*, XLVII (décembre 1932, n° 4), p. 1050-1065.

Roy, Olivier, *Leibniz et la Chine*, Paris, Vrin, 1972.

Spitzel Gottlieb, *De re litteraria Sinensium commentarius*, Leyde, 1660.

Voltaire (René Pomeau éd.), *Essai sur les mœurs et l'esprit des nations et sur les principaux faits de l'histoire depuis Charlemagne jusqu'à Louis XIII*, 2 vol., Paris, 1963.

– (Theodore Besterman *et al.* éd.), *Les Œuvres complètes de Voltaire - The Complete Works of Voltaire*, Oxford, Voltaire Foundation, 1994.

– (Louis Moland éd.), *Œuvres de Voltaire*, Paris, 1877-1885.

Walravens, Hartmut, *China illustrata. Das europäische Chinaverständnis im Spiegel des 16. bis 18. Jahrhunderts*, Weinheim, Acta Humanoria VCH, 1987 [Ausstellungskataloge der Herzog August Bibliothek n° 55].

Widmaier, Rita (éd.), *Leibniz korrespondiert mit China. Der Briefwechsel mit den Jesuitenmissionaren (1689-1714)*, Francfort, Vittorio Klostermann, 1990.

Cérémonies sous influence

La PRISE DE PÉKIN par les Mandchous en 1644, réalisée pratiquement sans combat, apparaît comme le dénouement inévitable des crises politiques et des insurrections populaires qui ont accompagné la chute de la dynastie Ming. En dépit de résistances nationalistes puis de rébellions autonomistes dans le sud qui ne seront définitivement éradiquées qu'en 1681, l'ordre mandchou des Qing se met peu à peu en place. Une politique subtile qui sait user à bon escient de la main de fer ou du gant de velours, menée par trois « despotes éclairés », Kangxi, 康熙, (1662-1722), Yongzheng, 雍正, (1723-1736) et Qianlong, 乾隆, (1736-1795), assure au pays une longue période de stabilité intérieure. Au milieu du XVIIIe siècle, l'empire couvre près de 12 millions de km² et son influence s'étend bien au-delà de ses frontières. La Chine est dans le monde d'alors l'État le plus grand et le plus riche.

De plus, dans leur désir d'affirmer leur légitimité et donc leur appartenance à la civilisation chinoise dans tout ce qu'elle a de plus authentique et singulier, les Mandchous ont cherché et obtenu de s'attacher les lettrés. Dès 1656, les concours officiels sont de nouveau ouverts et de grandes entreprises intellectuelles mises en route comme cette énorme encyclopédie en dix mille chapitres et dix millions de caractères imprimés commencée en 1706, achevée en 1725 et qui traite de sujets aussi divers que l'astronomie, les beaux-arts, la zoologie ou la philosophie, le *Gujin tushu jicheng*, 古今圖書集成. De telles entreprises, dont la plus importante pour cette époque, réalisée sous Qianlong, fut le *Siku quanshu*, 四庫全書 qui recense, commente et donne une courte biographie des auteurs de tous les ouvrages connus à ce jour, procurèrent un emploi sûr à bien des lettrés dont l'esprit scientifique et frondeur, développé au cours du siècle précédent (en particulier, Gu Yanwu, 顧炎武, 1613-1682, et Yan Yuan, 顏元, 1635-1704), trouva là un excellent exutoire à son énergie débordante. C'est ainsi que la recherche scientifique servit à l'étude des textes classiques que l'on chercha à débarrasser de toutes les interpolations et scories qui les encombraient depuis l'époque Song.

Pour un temps, politique et éthique confucéenne semblèrent ne plus être ennemies. La mansuétude prônée par le Maître fut appliquée, en particulier en ce qui concernait ces domaines vitaux pour la prospérité du pays qu'étaient l'agriculture, le commerce et l'artisanat tandis que les monarques, en mal de légitimité, avaient recours aux anciens cultes d'État dépoussiérés par les « scientifiques ». Bien que ces rites aient été attribués à l'époque des rois Zhou et décrits comme tels dans le *Zhouli* (Rites des Zhou) et dans le *Liji* (Livre des rites), les premiers sacrifices au Ciel et à la Terre ne sont historiquement attestés qu'aux IIe et Ier siècles avant notre ère. Il appartint ensuite à Wang Mang (9-23) de fixer leurs aires sacrées respectives dans la banlieue sud de la capitale pour le culte rendu au Ciel et dans sa banlieue nord pour le culte rendu à la Terre. Lors de chaque solstice d'hiver, une victime était brûlée en offrande sur le tertre rond de l'autel du Ciel et, lors du solstice d'été, la victime sacrifiée était enterrée dans une fosse attenante au tertre carré de l'autel de la Terre. Ces cultes, symboles du rôle de médiateur cosmique dévolu à l'empereur et de sa responsabilité vis-à-vis du peuple en sa qualité de Fils du Ciel élu par ce dernier, ont toujours été, par la suite, étroitement dépendants des aléas de l'histoire. Dédaignés par la dynastie étrangère des Yuan (1277-1367) qui ne s'intéressa guère qu'au culte rendu à la Terre et construisit au nord de Pékin le premier autel, ils furent remis à l'honneur par la dynastie Ming indigène. L'empereur Jiajing, en 1530, construisit au sud l'autel du Ciel et restaura au nord l'édifice érigé par les Yuan. Quant aux souverains mandchous, ils s'identifièrent si bien à une vision du monde purement confucéenne que les rites d'État, écartant toute déviance taoïste ou bouddhiste, renouèrent sans ambages avec l'affirmation d'une autorité souveraine qui place l'empereur au cœur de la triade Ciel-Homme-Terre.

L'empereur Qianlong, en 1748 et 1749, agrandit et remania les édifices précédents (cat. 156 et 156 bis). Aux mêmes dates il fit paraître par décret les réglementations concernant les formes et décors de la vaisselle rituelle destinée aux autels du Ciel, de la Terre, du Soleil et de la Lune. Ces derniers, utilisés aux équinoxes d'automne et de printemps étaient sis à l'est et à l'ouest, complétant une disposition qui inscrivait symboliquement la capitale de l'empire au centre de l'espace et du temps cosmiques.

Un émail bleuté caractérisait les pièces destinées à l'autel du Ciel et de la Lune, un émail jaune (cat. 157-160), les pièces destinées à l'autel de la Terre et à celui du temple de l'Agriculture, lequel était sis à l'ouest du temple du Ciel, augmenté d'un champ sacré de « mille arpents » qu'au début du printemps le souverain labourait en grande pompe, accompagné de ses plus hauts fonctionnaires. Comme dans la description du *Liji*, l'empereur y ouvrait quelques sillons puis les dignitaires faisaient de même (cat. 161) mais il laissait aux paysans convoqués à cette occasion le soin de terminer le travail et de semer les cinq sortes de céréales qui serviraient aux offrandes de l'année.

L'intérêt que l'Occident porta à la Chine fut essentiellement l'œuvre des premiers missionnaires jésuites. Le plus célèbre sans doute fut l'Italien Matteo Ricci (1552-1610) mais c'est le père Athanase Kircher (1602-1680) qui noua les premiers contacts entre l'Europe et la Chine confucéenne. Par la suite, de nombreuses publications virent le jour, savantes ou moins savantes dont les illustrations reproduisaient les relevés et excellents dessins envoyés par les pères. Tels sont par exemple les plans du temple du Ciel et de la Terre reproduits par J. B. Du Halde en 1742, les gravures représentant les cérémonies impériales ou la vie de Confucius par I. S. Helman (cat. 154, 162) en 1786 et 1788.

« Occupé sans relâche à tous les soins divers d'un Gouvernement qu'on admire, le plus grand Potentat qui soit dans l'Univers est le meilleur lettré qui soit dans son Empire. » Cette légende accompagnant le portrait de Qianlong au frontispice de l'ouvrage intitulé *Mémoires concernant l'histoire, les sciences, les arts, les mœurs, les usages etc. des Chinois par les missionnaires de Pékin*, Paris, 1776-1793, résume assez bien le sentiment général à la fin du XVIIIe siècle.

Mais au-delà de l'exotisme et de la curiosité dominent cependant la séduction et le respect qu'inspirèrent le personnage et la pensée de Confucius à l'intelligentsia occidentale et en particulier à des philosophes aussi différents que Leibniz l'Allemand ou Voltaire le Français.

N'est-ce pas là, à travers le temps et l'espace, le plus étonnant et le plus émouvant témoignage de l'universalité du pari sur l'homme et sa perfectibilité que fit autrefois le Sage ? **C. D.**

153 | **Statuette représentant Confucius**

Assis sur un trône reposant sur un socle de nuages
et portant la couronne princière à toit incliné et neuf
rangs de perles

Bronze et perles de verre

Époque Qing (1644-1911)

H. 18 cm ; l. 10 cm

Paris, MNAA-Guimet, MG 5350

154 | **Gravure représentant la statuette de Confucius**

Accompagnée de la légende que Voltaire avait écrite en dessous d'un
portrait qu'il aurait eu dans son cabinet de travail. Isidore Stanislas Helman,
*Abrégé historique des principaux traits de la vie de Confucius célèbre
philosophe Chinois orné de 14 estampes in 4° gravées par Helman,
d'après des dessins originaux de la Chine envoyés à Paris par M. Amiot,
missionnaire à Pékin et tirés du cabinet de Mr. Bertin*, Paris, 1788

Paris, MNAA-Guimet, BG 6823

155 | **Temple de Confucius à Qufu**

Encre et couleurs légères sur soie

H. 137 cm ; l. 82 cm

Époque Qing (1644-1911)

Parίs, Bibliothèque nationale
de France

156 | Gravure représentant l'autel de la Terre, *ditan*, à Pékin

a-b : deux enceintes carrées concentriques
c : tertre central avec quatre escaliers d'accès
d : quatre autels secondaires
e-f : cours intérieures
m : palais de l'abstinence, *zhaigong*, où l'empereur se recueillait
la nuit précédant le sacrifice que l'on accomplissait au petit matin
l : magasins, cuisines
n : demeure des gardiens
g : salle des tablettes

Jean-Baptiste Du Halde, *Description géographique, historique, chronologique, politique de l'Empire de la Chine et de la Tartarie chinoise*, vol. III, Paris, 1735

Paris, MNAA-Guimet, BG 5153

156 bis | Gravure représentant l'autel du Ciel, *tiantan*, à Pékin

a-c : deux enceintes concentriques, carrées au sud, arrondies au nord
d : muraille séparant la région nord et la région sud
t : *zhaigong*
r : tertre circulaire, *yuanqiu tan*
8 : bâtiment abritant les tablettes du ciel et des empereurs défunts, *huangqiongyu*
h : salle de la prière pour obtenir de bonnes récoltes, *qinian dian*
g : temple de l'Auguste Ciel, *huangqian dian*

Jean-Baptiste Du Halde, *op. cit.*

Paris, MNAA-Guimet, BG 5153

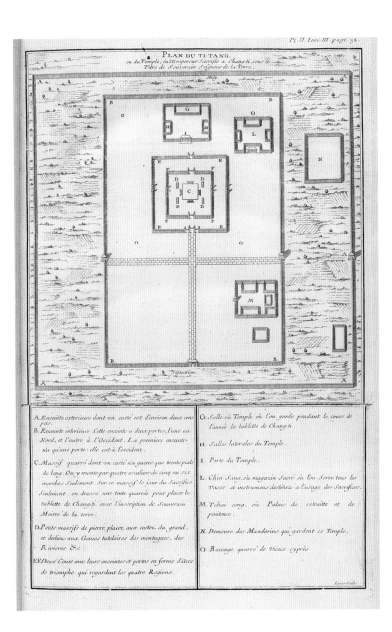

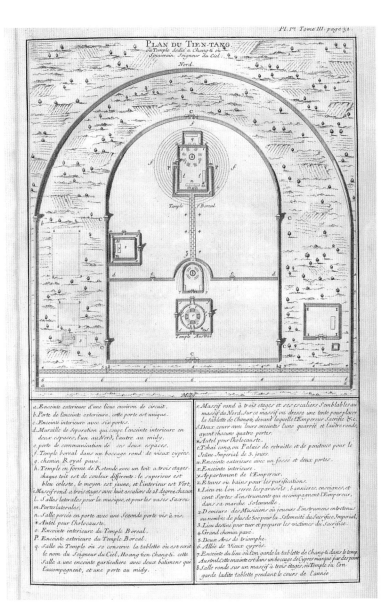

157 | Présentoir *fu* pour l'offrande des céréales

La morphologie est très comparable à celle du même présentoir en bronze des Zhou de l'Ouest qui fait partie des bronzes rituels répertoriés et dessinés dans le catalogue archéologique *Bogu tulu* établi au cours de l'ère Xuanhe (1119-1126) du règne de l'empereur Huizong des Song, ouvrage qui a probablement servi à l'établissement des directives de fabrication et décors de 1748 publiés ensuite en 1766, *Accessoires illustrés pour les cérémonies rituelles impériales*, titre chinois, *Huangchao liqi tushi*.

Porcelaine à émail jaune de fer pour les autels de la Terre ou de l'Agriculture

Période Qianlong (1736-1795)

H. 27 cm ; L. 29 cm

Paris, MNAA-Guimet, G 2879

158 | Présentoir *fu* pour l'offrande des céréales

Porcelaine à émail jaune de fer pour les autels de la Terre ou de l'Agriculture

Période Qianlong (1736-1795)

H. 23,5 cm ; L. 29 cm

Paris, MNAA-Guimet, MG 8219

159 | **Tripode *xing*, pour l'offrande de viandes cuites en ragoût**

Ces récipients, utilisés par paire, étaient d'un usage beaucoup moins courant que les *dou*, *fu* et *gui*

Porcelaine à émail jaune de fer pour les autels de la Terre ou de l'Agriculture

Période Qianlong (1736-1795)

H.27,5 cm ; L. 23,5 cm

Paris, MNAA-Guimet, G 3738

160 | **Récipient *gui*, pour l'offrande des céréales**

Porcelaine à émail jaune de fer pour les autels de la Terre ou de l'Agriculture

Période Qianlong (1736-1795)

H. 24 cm ; L. 28 cm

Paris, MNAA-Guimet, G 2850

161 | ***Qingengtu*, « Le premier sillon ouvert par l'empereur »**

Rouleau illustrant l'empereur Yongzheng conduisant la charrue lors de la fête de l'agriculture

Encre à couleurs légères sur soie, Chine, rouleau horizontal

Auteur anonyme

Époque Qing, règne de Yongzheng (1723-1735)

H. 63,5 cm ; L. 459 cm

Paris, MNAA-Guimet, MG 21449

(p. 202-205)

201

162 Cérémonie du labourage faite par l'empereur de Chine

Gravure de I.S. Helman probablement inspirée d'une peinture
analogue à celle présentée au cat. 161

Tirée de l'album des *Faits mémorables des Empereurs de la Chine*,
Paris, 1786

Paris, MNAA-Guimet, Bibliothèque, BG 1392

CÉRÉMONIE DU LABOURAGE FAITE PAR L'EMPEREUR DE LA CHINE.

163 | Monseigneur le Dauphin Labourant

Gravure représentant le futur Louis XVI conduisant une charrue à l'imitation des empereurs de Chine

Idéalisé par les physiocrates comme Quesnay, Poivre et Bertin qui considéraient l'agriculture comme le plus noble des arts, ce thème, qui venait à point nommé justifier l'absolutisme éclairé de la deuxième moitié du XVIIIᵉ siècle, fut aussi dans certains cas habilement utilisé par les souverains européens dans un esprit de propagande paternaliste

Gravure à l'eau-forte sur papier de Michel Wachsmut

Vers 1770

H. 40 cm ; L. 52,5 cm

Musée national du château de Versailles, inv. grav. 1944

MONSEIGNEUR LE — DAUPHIN LABOURANT.

O Terre ! ouvre ton Sein·· l'utile agriculture
l'objet de nos dedains S'annoblit en ce jour

l'humanité Sourit, et toute la Nature
en voyant travailler l'objet de notre amour.

Shandong. Qufu, temple de Confucius, pont Bishui (cat. 127)

Épilogue

孔子—永遠的文化巨人[*]

公元前 551 年 8 月 27 日，孔子誕生於當時的魯國陬邑昌平鄉（今山東曲阜東南尼山附近）。傳說尼山下的坤靈洞即是孔子的誕生地。生前因其母顏徵在曾到家鄉附近的尼山祈禱而生孔子，故孔子名丘，字仲尼。公元前 479 年孔子在魯國去世，終年 73 歲。死後葬於魯國城北的泗水之濱。

周滅商以後，商的貴族微子被封為宋國的國君，微子即是孔子的祖先。後因宋國內亂，其曾祖由宋逃難到魯國。孔子的父親叔梁紇曾任魯國城陬邑的大夫，是一個勇敢的小武官。

孔子的一生大略可以分為五階段：三十歲以前是刻苦求學時期；三十歲到五十歲開始收徒教學；五十一歲到五十五歲在魯國從政；五十五歲到六十八歲周遊列國；六十九歲到七十三歲去世，一邊教書，一邊整理中國古代文獻。

幼年的孔子比較貧苦。三歲時父親去世，家道從此衰微，由母親辛苦撫養成人。但幼年的孔子十分好學。十九歲時與亓官氏結婚。二十歲起先後做管理倉庫和管理牲畜的小吏，職位雖然不高，但都十分盡職。在艱苦的環境中他從未中斷學習，曾經向郯國的郯子請教官制，向音樂家師襄學習彈琴，向道家的創始人老子和音樂家萇弘討論禮、樂的哲理。到三十歲時，已奠定了堅實的學問基礎。

三十歲左右，開始收徒授學。對於來學者，不分貴賤、貧富、愚智，都熱心教導，並針對學生的個性、才能，採取不同的方式教育。注重啓發反省，鼓勵學習與思考並重。除教授當時士大夫所應具有的一般技能外，尤其重視志向和人格的誘導與培養。孔子的教學生涯一直延續到他的晚年，學生總數達到了三千人之多，開創了中國平民教育的先河。

由於魯國政局不好，孔子始終不願出仕。直至五十一歲，魯國國君有心求治，孔子才出任魯國中都的地方長官，一年即治理得井然有序。遂升任"司空"（掌管水土事宜），農業生產大增；又晉升為"大司寇"（掌管司法、外交），後又代理卿相之職。任內曾協助魯國國君在一個叫"夾谷"的地方與齊國會盟，力挫齊國的齊景公，收回了被齊國侵奪的土地，創造了弱國外交的範例。他也曾試圖剷除長期控制魯國政局的掌權大夫勢力，恢復國君政治，但最終失敗，加之魯君在齊國的計謀下荒怠政事，孔子看到魯國難於實現自己的政治抱負，乃毅然辭去官職，並離開魯國。

孔子從五十五歲起，開始"周遊列國"，推行"仁政"和"德政"的主張，先後經過了衛、陳、曹、宋、鄭、蔡、楚等國，拜會了很多國君和大夫。雖然歷盡艱辛，但所得到的僅是表面上的禮遇。春秋末年是一個社會急劇變化的時期，孔子理論難以被列國所接受，而且還遭受了無數的迫害和嘲諷。但孔子從未改變過自己的信念和理想。一直到他六十八歲時，在魯君的誠懇邀請下，才結束了十四年的漂泊生涯，回到魯國。

孔子的晚年除了繼續教書課徒，主要的精力都放在了整理、修訂古代的文獻上。經過他整理的文獻有《詩》《書》《易》《禮》《樂》《春秋》等，這些文獻後來成為中華民族的經典教科書，影響了東方兩千多年。孔子在七十三歲時溘然長逝。

孔子是中華傳統文化的主要締造者，其思想文化成就極爲龐大，很難用簡短的文字作全面的解說，只能擇取重要者介紹。

儒家學派的創始人。孔子所處的春秋末期，是一個王室衰敗，諸侯割據，戰爭頻繁，社會規範失衡的時期，孔子帶著與統治者在政治、哲學上的巨大差距，帶著濟世愛民、實現天下為公的社會理想，探索和思考著社會與人生。他是第一個全面地思考和闡述天人關係、人人關係的思想者。他在哲學、社會學、倫理學、教育學、政治學等諸多人文科學領域均有獨創和建樹。由於他的巨大影響，在其後的戰國時期，形成了一個學派林立，百家爭鳴的學術大繁榮時期。正是這樣一個生動、活躍的文化環境，產生了一大批思想家，為中國傳統文化的形成打下了基礎。

建立了以"仁"為核心，以"禮"為形式的思想和倫理體系。《論語》是記載孔子言行的主要依據，在一萬零四千言中，談論到"仁"的地方有一百零九次。"仁"最基本的含義是普遍的"愛"。在天人關係方面，孔子認爲天生了人，而人才是真實的，人是活生生的肉體，是有内在德性的生命，這種德性就是"仁"，是人性的體現，人性即天命，人道即天道。運用到個人方面，則每個人不僅要做到獨善其身，更希望能夠兼善天下，總的表現高度是"己所不欲勿施於人"、"己欲立而立人，己欲達而達人"。推廣到整個人群和社會，則期盼改變當時道德人心淪喪、分裂割據社會動蕩的環境，恢復到周王朝時期的王道和仁政；人與人之間"講信修睦"、"溫、良、恭、儉、讓"，無論老人、年幼者還是朋友之間，都能各得其所，形成一個祥和安樂的社會。孔子認爲"禮"是"仁"的外在形式，一個理想的社會，應當注重禮樂的教化，以禮來規範個人的行爲，並且作爲國家施政的準則；以樂來陶冶人的內心，進而在社會上形成和諧的風氣；透過教化來啓迪人心，使大家能夠深切了解人倫道德的重要，認真實踐，以培養出高尚完美的人格，充分顯現人的地位和尊嚴。

他是中國的第一位老師，開創了中國的平民教育。他的人本主義實現以"仁"爲指引的教育，創建了許多教學的規律、學習的方法及受教育者應具有的態度，即使對於今天的現代教育，仍然有著無法估量的意義。他最重要的教育思想和教育實踐就是"有教無類"，以人類全體爲教育對象，無國別、族別、無男女老幼、貴賤貧富、智愚敏鈍。他強調因才施教和生動活潑的教學方法，尤其重視學生遠大志向和高尚人格的培養。孔子所倡導的教育，有力地促進了中國"士"這一階層的形成，他們從儒學中成長爲中華民族的知識階層，形成中華民族文化的核心力量。在中國歷史上科學技術方面有重大成就者，都與"士"有直接或間接的關係。

孔子是第一個對中國古代文獻進行系統整理的學者。這不僅可以使中國的古代文獻得以保存，而且還闡發了其中的精神，寄予了自己的理想，使民族的文化遺產更具有深廣的內涵。

孔子去世數百年後，中國第一個偉大的史學家司馬遷，到魯國古都曲阜考察後十分感嘆，他在《史記》中說："天下的君主、賢人無計其數，在世時榮耀不已，而去世後則不爲人知。孔子作爲一介平民，雖然十幾代人已經過去，但仍是學者所效法的楷模，無論天子王侯，只要談到學術技藝，都要追溯到孔子。這是至聖啊！" 在以後的兩千多年間，無論朝代如何更替，也無論是哪個民族執政，都對孔子給予了官方的肯定，這其中的歷史原因是極爲耐人尋味的。應當說，以孔子爲代表的儒家思想，在客觀上規範了漫長的中國社會，起到了他內在的協調、制衡中國社會的積極作用，起到了凝聚中華民族精神和國土統一的作用。他也塑造了中國人的性格。因此他最終被譽爲"道貫古今，德配天地"的"大成至聖先師"。

* Confucius, un géant de la civilisation pour l'éternité

Ce texte émanant du bureau du patrimoine de la province du Shandong est publié dans sa version originale à l'intention des visiteurs chinois. Il relate les grands moments de la vie de Confucius suivant cinq séquences. Sont abordés successivement sa formation, ses voyages, son enseignement, ses écrits et sa carrière politique. La deuxième partie s'attache à la doctrine insistant sur la vertu d'humanité et le rôle fondamental de l'étude.

Tableau chronologique

2900-2205 av. notre ère	Époque des souverains mythiques • 2356 Yao • 2255 Shun
2205-1767 av. notre ère	Dynastie Xia, fondée par Yu le Grand
1766-1122 av. notre ère	Dynastie Shang (ou Yin), fondée par Cheng Tang

1121-256 av. notre ère	Dynastie Zhou, fondée par les rois Wen et Wu
	• 1121-770 Zhou de l'Ouest
	• 769-256 Zhou de l'Est (déplacement de la capitale vers l'est)
	  • 722-481 Époque des Printemps et Automnes
	  • 453-221 Royaumes combattants

221-206 av. notre ère	Qin, fondation de l'Empire
206 av.-25 ap. notre ère	Han de l'Ouest ou Han antérieurs
25-220	Han de l'Est ou Han postérieurs
220-265	Trois Royaumes
265-420	Jin
420-581	Dynasties du Sud et du Nord
581-518	Dynastie Sui
618-907	Dynastie Tang
907-960	Cinq Dynasties
960-1278	Dynastie Song
1279-1368	Dynastie Yuan (Mongols)
1368-1644	Dynastie Ming
1644-1911	Dynastie Qing (Mandchous)
1911	République

D'après A. Cheng, *Les Entretiens de Confucius*, Paris, 1981, p. 7

Crédits photographiques

• **Paris, Réunion des musées nationaux, agence photographique**

- **T. Ollivier** : p. 22-23, 33, 35, 48-49, 58-59, 71, 80-81, 93, 106-107, 115, 150-151, 157, 182-183, 195 cat. 1-7, 18, 34, 35, 36, 38, 39, 42, 43, 44, 45, 46, 50, 54, 55, 56, 57, 58, 59, 60, 61, 62, 63, 64, 65, 66, 67, 68, 69, 70, 71, 72, 73, 74, 79, 80, 87, 88, 89, 90, 91, 154, 156, 156 bis, 157, 158, 159, 160, 162

- **R. Lambert** : cat. 25, 27

- **M. Ravaux** : cat. 37

- **D. Arnaudet** : cat. 49

- **V. Lefèvre** : cat. 81

- **P. Bernard** : cat. 153

- **M. Urtado** : cat. 161 (p. 202-205)

- **G. Blot** : cat. 163

• **Paris, Photothèque du musée Guimet** : p. 16, 208 cat. 106, 107, 108, 109, 110, 111, 112, 113, 114, 115, 116, 117, 118, 119, 120, 121, 122, 123, 124, 125, 126, 127, 128, 129, 130, 131, 132, 133, 134, 135, 136, 137, 138, 139, 140, 141, 142, 143, 144, 145, 146, 147, 148, 149, 150, 151, 152

• **Paris, Bibliothèque nationale de France** : cat. 92, 155

• **Chine, The Cultural Property Promotion Association of China** : cat. 8, 9, 10, 11, 12, 13, 14, 15, 16, 17, 19, 20, 21, 22, 26, 28, 29, 31, 32, 33, 40, 41, 47, 48, 51, 52, 53, 76, 77, 78, 82, 83, 84, 85, 86, 93, 94, 95, 96, 97, 98, 99, 100, 101, 102, 103, 104, 105

• **Zurich, Rainer Wolfsberger, Museum Rietberg** : cat. 23

• **Munich, Staatl-Museum für Völkerkunde, A. Lamenzo** : cat. 75

• **Berlin, Museen Dahlem** : cat. 24

Département des éditions de la Réunion des musées nationaux dirigé par
Béatrice Foulon

Coordination éditoriale

Réunion des musées nationaux
Marie-Claude Bianchini
Assistée par **Carole de Saër**

Fundació "la Caixa", Barcelone
Concha Gómez

Documentation photographique
Evelyne David
Dominique Fayolle
Caroline de Lambertye

Conception graphique et mise en pages
Carlos Ortega et Jaume Palau, Barcelone

Préparation des textes
Brigitte de la Broise

Traduction des textes allemands
Jean Torrent pour le texte de Michael Leibold
Aude Virey Wallon pour le texte de Hans van Ess

Traduction et adaptation des textes chinois
Renée Barbier et **Tsao Huei-Chung**

Photogravure
SCAN-4, Barcelone

Impression
Gràfiques Iberia, Barcelone

ISBN : 2-7118-4598-2
EC 70 4598
Dépôt légal : octobre 2003
D. L. : B-37833-2003